BOTHNICA

Skrifter utgivna av Norrbottens museum

BÖNDER BRYTER BYGD

Studier i Övre Norrlands äldre
bebyggelsehistoria

AV

HANS SUNDSTRÖM

WITH AN ENGLISH SUMMARY

NORRBOTTENS MUSEUM

BOTHNICA 4

Skrifter utgivna av Norrbottens museum

Redaktör: Kjell Lundholm

Omslag: Ingrid Franklin och Hans Sundström
Omslagsbild: »Avasaxa, ett berg vid Torneå elf, derifrån
midnattssolen synes om midsommaren», plansch ur Sverige framstäldt i
teckningar. Tvåhundratjugofyra litografier med text av G. H. Mellin,
Stockholm 1840.

Bondebygd blir till har tidigare publicerats i Faravid 2—78. Pohjois-Suomen Historiallissen Yhdistyksen Vuosikirja II/Acta Societatis Historiae Finlandiae Septentrionalis II. Rovaniemi 1978. Koillissanomat Oy, Kuusamo 1978.

The Earliest Settlement in the Tornio (Torne) River Valley har tidigare publicerats i Desertion and Land Colonization in the Nordic Countries c. 1300—1600. By Svend Gissel, Eino Jutikkala, Eva Österberg, Jørn Sandnes and Björn Teitsson. Stockholm 1981. Almqvist & Wiksell, Uppsala 1981.

»Gamla stränder finns ej mer . . .» har tidigare publicerats i Faravid 4—80. Pohjois-Suomen Historiallissen Yhdistyksen Vuosikirja IV/Acta Societatis Historiae Finlandiae Septentrionalis IV. Rovaniemi 1981. Koillissanomat Oy, Kuusamo 1981.

ISBN 91-85336-34-3
ISSN 0281-0735

LUND 1984
BLOMS BOKTRYCKERI AB

»Vetenskap är den villfarelse som för tillfället doceras vid våra universitet»
(Piet Hein, Gruk)

»We shall not cease from exploration
And the end of all our exploring
Will be to arrive where we started
And know the place for the first time»
(T. S. Eliot, Four Quartets)

Denna volym ingår även som nr 14 i Det nordiska ödegårdsprojektets publikationsserie.

Tidigare publikationer inom denna serie:

1. Nasjonale forskningsoversikter. København 1972.
2. Hornsherredundersøgelsen, med indledende metodeafsnit. København 1977.
3. Eva Österberg: Kolonisation och kriser. Bebyggelse, skattetryck, odling och agrarstruktur i västra Värmland ca 1300—1600. Lund 1977.
4. Jørn Sandnes & Helge Salvesen: Ødegårdstid i Norge. Det nordiske ødegårdsprosjekts norske undersøkelser. Oslo—Bergen—Tromsø 1978.
5. Helge Salvesen: Jord i Jemtland. Bosetningshistoriske og økonomiske studier i grenseland ca. 1200—1650. Östersund 1979.
6. Audun Dybdahl: Stjørdalen gjennom bølgedalen. Bosetningsmessige og økonomiske forhold i Stjørdalsbygdene ca. 1200—1660. Oslo—Bergen—Tromsø 1979.
7. Seinmiddelalder i norske bygder. Utvalgte emner fra Det nordiske ødegårdsprosjekts norske punktundersøkelser. I utvalg ved Narvo Bjørgo, Rolf Fladby, Knut Helle og Jørn Sandnes. Redigert av Lars Ivar Hansen. Oslo—Bergen—Tromsø 1981.
8 a—b. Ole Skarin: Gränsgårdar i centrum. 1—2. Studier i Västsvensk bebyggelsehistoria ca. 1300—1600. Göteborg 1979.
9. Jan Brunius: Bondebygd i förändring. Bebyggelse och befolkning i västra Närke ca 1300—1600. Lund 1980.
10. Lars Ivar Hansen: Markebol og ødegårder. Bosetning og økonomiske forhold i Fyresdal ca. 1300—1660. Oslo—Bergen—Tromsø 1980.
11. Desertion and Land Colonization in the Nordic Countries c. 1300—1600. Comparative Report from The Scandinavian Research Project on Deserted Farms and Villages. By Svend Gissel, Eino Jutikkala, Eva Österberg, Jørn Sandnes and Björn Teitsson. Stockholm 1981.
12. Käthe Bååth: Öde sedan stora döden var . . . Bebyggelse och befolkning i Norra Vedbo under senmedeltid och 1500-tal. 1—2. Lund 1983.
13. Sten Skansjö: Söderslätt genom 600 år. Bebyggelse och odling under äldre historisk tid. Lund 1983.

Innehåll

Separat publiceras avhandlingsavsnittet Ogräs i odlingshistoriens tjänst. Paleoekologiska forskningsmetoder och -resultat med exempel från Norra Bottenviksområdet (Bothnica, 2). Luleå 1983.

Kommentar

till innehållsförteckningen

Föreliggande framställning avspeglar ett mångårigt forskningsarbete, som även fortlöpande avrapporterats i form av publicerade skrifter. Men forskning är en dynamisk process. Det ligger därför i varje forskningsprodukts väsen att vara ofullgånget, att vara fröet till ny kunskapsproduktion. De i denna framställning ingående delarna utgör förhoppningsvis inga undantag. Forskningsarbetet har dock redan nu lett fram till en markerad revision av det forskningsläge som rådde vid undersökningens startpunkt. Jag har därför funnit det lämpligt att här sammanföra fyra tidigare publicerade arbeten med två nyskrivna partier, vilket sammantaget utgör en summering av de hittills nådda resultaten. Det innebär att framställningen centreras kring använda metoder och uppnådda resultat. Utan tvivel medför det å andra sidan att redovisningen av undersökningens förutsättningar starkt begränsas. I de delar av framställningen, som tidigare publicerats, finns i komprimerad form beskrivning av undersökningsområdets topografi, tillgängligt källmaterial, använda metoder samt forskningsläge. Detta har tyvärr till följd att läsaren kommer att möta en och annan upprepning. Det finns därför ingen anledning att inledningsvis ytterligare dröja vid dessa förutsättningar. Ett undantag görs för forskningsläget, vilket skall diskuteras utförligare än vad som tidigare skett. Den form som valts för presentation av undersökningen skall förhoppningsvis inte medföra några större olägenheter för läsaren.

I *Inledning* anges undersökningens utgångspunkter i en personlig situation, en forskningsmiljö och ett forskningsläge. Samtidigt anges de institutionella ramar, inom vilka forskningsarbetet bedrivits. Den för undersökningen överordnade problemställningen identifieras. Slutligen preciseras de delproblem kring vilka framställningen centrerats.

Bondebygd blir till avser att redovisa resultaten av den förnyade analys, som företagits av det rent skriftliga materialet.

I *The Earliest Settlement in the Tornio (Torne) River Valley* kopplas denna analys samman med för undersökningen relevanta resultat av den namnvetenskapliga resp. arkeologiska undersökningen.

Ogräs i odlingshistoriens tjänst publiceras separat. I det avsnittet diskuteras utförligt olika paleoekologiska metoder, och resultat med anknytning till undersökningsområdet redovisas. Fortlöpande diskuteras de problem, som uppstår, då resultat av denna karaktär skall integreras i bebyggelsehistoriska rekonstruktioner. Framställningen sammanhålles av att de bebyggelsehistoriska problemställningarna behandlas utifrån ett ekologiskt perspektiv. Avsnittet illustrerar samtidigt tvärvetenskap i ett ämnesöverskridande stadium, då det redovisar en historikers försök att komma över kunskapsgränserna gentemot i detta fall paleoekologisk forskning och därigenom vidga det egna ämnets kunskapsområde.

»*Gamla stränder finns ej mer* . . .» representerar en vidareföring av den närmast ovan beskrivna analysmetoden. Tidsramen har dock här sprängts och som sökinstrument har i stället valts det teknologiska perspektivet.

I *Sammanfattning* fogas de enskilda forskningsresultaten in i ett vidare forskningssammanhang. Samtidigt belyses slutsatserna av en kompletterande diskussion kring främst det skriftliga materialet. Därvid ges underlag för en rekonstruktion av den äldsta bebyggelseutvecklingen. Konsekvenserna av denna rekonstruktion diskuteras i ett utvidgat rumsligt perspektiv. Mot bakgrund av de gjorda analyserna och de förda diskussionerna av bl.a. tvärvetenskapliga problem inringas forskningsbara problem, som kan utgöra startpunkt för fortsatta undersökningar kring den överordnade frågeställningen.

Som ovan nämnts består föreliggande framställning av såväl nyskrivna partier som nytryck av tidigare publicerade avsnitt. I de senare har av tryckeritekniska skäl inga ändringar företagits inför återtryckningen. Det innebär att korrekturfel från tidigare publicering kvarstår. Ett undantag har gjorts för pagineringen. Denna har gjorts löpande genom hela framställningen för att ge läsaren en möjlighet att orientera sig i boken. Referenssystemen i de tidigare publicerade avsnitten är bearbetade enligt skilda redaktionella normer, varför bokens referenssystem inte är enhetligt uppbyggt. Det torde dock inte bereda läsaren någon större svårighet att i käll- och litteraturförteckningen återfinna en i notapparaten åberopad referens. I de nyskrivna partiernas notapparat har vid varje referens kursivering skett av sökordet till käll- och litteraturförteckningen. I den senare återfinns fullständiga uppgifter om respektive referens. Käll- och litteraturförteckningen liksom bokens register omfattar såväl föreliggande volym som det separat publicerade avsnittet *Ogräs i odlingshistoriens tjänst.*

Förord

Under alla mina studieår har jag alltid kunnat påräkna stöd och uppmuntran från Arne Nordberg, Luleå, som tyvärr inte hann få se hela avhandlingen i tryck. Hans lärargärning vill jag på ett anspråkslöst sätt tillägna denna bok. I den tacksamhet jag känner gentemot Arne vill jag även innefatta hans efterlevande maka, Gunvor Nordberg.

Jag har haft förmånen att få bedriva mitt avhandlingsarbete vid Historiska institutionen i Lund. Den mänskliga värme och omtanke som där alltid kommit mig till del har varit speciellt uttalad i avhandlingsarbetets slutskede. Av alla kamrater vid institutionen kan jag här tyvärr endast nämna några vid namn.

Min handledare har varit Eva Österberg. Hennes betydelse för tillkomsten av denna avhandling kan knappast överskattas. Det har dessutom blivit mig förunnat att se vår kollegiala samvaro växa fram till djup, förtroendefull vänskap. För mig kommer detta att bli det bestående värdet av avhandlingsarbetet.

Birgitta Odén och Göran Rystad har var och en på sitt sätt bidragit till att vistelsen vid institutionen inte bara blivit vetenskapligt givande utan även mänskligt berikande. Birgitta har läst avhandlingen i manuskript och korrektur. Hennes många idéer har gett avhandlingsarbetet välbehövlig spänning. Det är ett exklusivt nöje att få räknas till hennes elever. Göran har läst avhandlingen i korrektur. Hans på säkert omdöme vilande kritik har kombinerats med ständig uppmuntran.

Under assistans av Lena Hillerström har Göran Blomqvist under de senaste månaderna övertagit mina administrativa åtaganden och på så sätt gjort det möjligt för mig att slutföra avhandlingen. Göran har dessutom med stor ambition sammanställt bokens båda register. Monica Udvardy ansvarar för översättningen av sammanfattningen till engelska och har även på andra sätt bistått mig vid utformningen av manuskriptet. Gunnar Artéus och Sten Skansjö har varit mig behjälpliga med korrekturläsning. Den senare har under hela avhandlingsarbetet varit min projektkamrat. Hans säkra omdöme och stillsamma kritik har inte minst under de senaste veckornas pressade arbetssituation varit ett ovärderligt stöd. Jag vill i detta sammanhang även nämna Anders Persson. Bland övriga projektkamrater kan nämnas Käthe Bååth, Jan Brunius och Ole Skarin. En annan projektmedlem, Lars-Olof Larsson, gav mig uppslag till avhandlingen och har alltid tagit del av mitt forskningsarbete med största intresse.

Trots att vi ofta företrätt olika uppfattningar i sakfrågor har Erik Lönnroth uppmuntrande följt avhandlingsarbetet och på olika sätt skapat möjligheter för mig att driva detta vidare.

Avhandlingsarbetets inriktning har gett mig många vänner i de nordiska länderna och bland företrädare för andra discipliner. Bland dessa vill jag särskilt framhålla några.

Mervi Hjelmroos, Kvartärbotaniska laboratoriet i Lund, har alltid generöst låtit mig ta del av hennes forskningsresultat. Med Kyösti Julku, Pentti Koivunen och Jouko Vahtola, alla vid Uleåborgs universitet, har jag under stimulerande samvaro haft möjlighet att dryfta många problem inom nordbottnisk bebyggelsehistoria. I detta sammanhang kan även nämnas Gunnar Pellijeff.

Eljas Orrman och Pia Sovio har hjälpt mig tillrätta i den finsk-språkiga forskningsdebatten.

Under ledning av Kjell Lundholm har personalen vid Norrbottens museum på alla sätt sökt underlätta min forskning. Särskilt vill jag då framhålla Ingrid Franklin och Thomas Wallerström. Kjell har med underfundig kritik följt manuskriptets framväxt och dessutom låtit mitt arbete ingå i museets skriftserie, Bothnica. Därigenom har avhandlingen kunnat ges en typografisk utformning som möjliggör dess spridning till en vidare läsekrets. I detta sammanhang vill jag även tacka personalen vid Bloms Boktryckeri AB som under ledning av Inge Håkansson inte lämnat någon möda osparad att trots mina bitvis vildvuxna typografiska idéer lotsa manuskriptet fram till en tryckteckniskt gedigen slutprodukt.

Avhandlingsarbetet har understötts av Humanistisk-samhällsvetenskapliga forskningsrådets anslag till Det nordiska ödegårdsprojektet. Stipendier och forskningsanslag har erhållits från Letterstedtska Föreningen, Svea Orden samt Kulturfonden för Sverige-Finland.

En stimulerande avkoppling från det ofta enahanda forskningsarbetet har jag fått genom samvaron med fotbollskamraterna i Karlstorp FF. Av dessa har särskilt vännen Jan Einarsson följt mitt avhandlingsarbete med stöd och uppmuntran, vilket blivit speciellt uttalat sedan han själv äntligen disputerat.

Avhandlingsarbetet hade inte kunnat påbörjas utan ett självuppoffrande stöd från Gertrud Axelsson-Sundström.

Till mina barn Emil, Elin, lilla Therese samt Rebecca överlämnas denna bok som en ringa ursäkt för alla uteblivna söndagspromenader.

Min hustru, Mary Deutgen, har burit en tung börda under de senaste åren av mina studier. Utan hennes hjälp hade det varit omöjligt att fullfölja avhandlingsarbetet. Min tacksamhet gentemot Mary kan bara uttryckas i förhoppningen att jag skall kunna göra motsvarande insats för henne.

Sist men inte minst vill jag sända en kärleksfull tanke till min mor, som lärt mig att finna glädjeämnen även i de största svårigheter.

Till er alla vill jag rikta ett varmt tack!

Lund i februari 1984

Hans Sundström

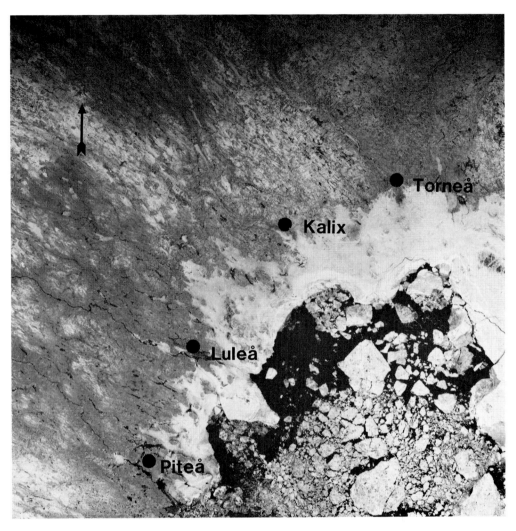

Undersökningsområdet i maj månad då isen går i Bottenviken.
Bilden tagen på 920 kilometers höjd från jordresurssatelliten Landsat II
(Foto: Svenska rymdaktiebolaget, Esrange, Kiruna).

Inledning

Nu bryter många norrbottningar upp från sin hembygd. Flyttlassen drar söderut. Bostäder och hela byar överges och lämnas obebodda. Åkrar, som i århundraden, ja, kanske årtusenden varit föremål för mänsklig odling, lämnas att växa igen. Hela landsändans existensmöjligheter som levande bygd beskärs allt mer. Men det har inte alltid varit så. Det fanns en tid, då den mellansvenska centralmakten ivrade för landsändans snara kolonisering. Genom århundraden över äventyrliga gruvföretag, lappmarksbosättning, kronotorp etc. kan centralmaktens intresse att avvinna Övre Norrland dess rikedomar spåras bakåt in i det dunkel, där de första skriftliga källorna möter.

Varje forskare har ett personligt förhållande till sin forskningsuppgift. Mitt är bindningen till en hembygd, som jag för länge sedan brutit upp ifrån. För att försöka förstå dagens situation känns det angeläget för mig att veta, hur och när Norrbotten en gång började bebyggas. Det är en frågeställning, som det personligt känns angeläget att finna svaret på. Den inom historieforskningen hitintills förhärskande teorin om hur Norrbotten koloniserats, innehåller i själva verket alltför många oklara och diskutabla inslag, för att frågeställningen inte skall upplevas som en intellektuell utmaning möjlig att anta. I skärningspunkten mellan detta emotionella och intellektuella behov uppstod den problemställning vars behandling jag skall försöka redovisa i den följande framställningen. Syftet med mitt forskningsarbete har varit att försöka följa framväxten och det slutliga etablerandet av den första fasta bondebygden, vilket då naturligen även medförde en prövning av den tidigare historieforskningens *metoder* och *resultat*.

Problemriktningen innebar att undersökningen anslöt till agrarhistorisk forskning med inriktning på kulturlandskapets omgestaltning.[1] Därmed föll undersökningen in i ett redan existerande forskningsmönster med mer vittsyftande problemställningar. Forskningsarbetet kom även att utgöra en punktundersökning inom det då pågående stora internordiska agrarhistoriska forskningsprojektet *Det nordiska ödegårdsprojektet*, vilket huvudsakligen var inriktat på att klarlägga den senmedeltida agrara utvecklingen i Norden. Därigenom öppnades samtidigt möjligheten att sätta in den nord-

[1] För exempel på detta forskningsområde se G. *Duby*, Medieval agriculture 900—1500 i The Fontana Economic History of Europe, 1. The Middle Ages (1972; 6:e uppl. 1981) samt S. *Helmfrid*, Europeiska kulturlandskap. En forskningsöversikt (stencil, 1966).

bottniska utvecklingen i ett vidare sammanhang. Bedömningen av Övre Norrlands bebyggelsehistoria fick inte bara konsekvenser för Nordkalottens historia utan blev även en viktig pusselbit vid klarläggandet av utvecklingen i hela Norden under den aktuella perioden.

Forskningsläge

Allmänt

Under slutet av medeltiden lämnas tidigare odlade ytor obrukade och en stor del av odlingsmarken lämnas att växa igen. Gårdar, ja, hela landsbyar ödeläggs. Samtidigt kännetecknas jordpriser och arrendeavgifter av stor instabilitet. Förloppet inträffar i olika områden vid skilda tidpunkter och tar sig mer eller mindre dramatiska uttryck, men kan iakttas såväl på kontinenten som i Norden.

Det inträffade har förklarats på många olika sätt. Några forskare har sett det som en dramatisk följd av att Europa under ett olycksdrabbat århundrade tappades på stora delar av sin befolkning genom krig och epidemier, varav främst digerdöden. Andra forskare har sett agrarkrisen som en naturlig avmattning efter högmedeltidens odlingsexpansion med åtföljande överexploatering av odlingsytorna, vilken senare sammanfallit med en klimatförsämring under senmedeltiden. Den tredje generella förklaringsmodellen tar sin utgångspunkt i strukturomvandlingar och bebyggelsenedläggningar som en följd av en ökad marknadsekonomi och handelns tilltagande betydelse.[2]

Ett problemområde som detta har naturligtvis lockat många forskare. Forskningsinriktningen är väl företrädd inom framförallt tysk,[3] fransk[4] och engelsk[5] forskning. Speciellt den tyska s.k. Wüstungs-forskningen har varit skolbildande. I Norden har problemområdet behandlats inom framför allt norsk forskning. Men forskningsinriktningen finns även representerad i övriga nordiska länder.[6]

[2] För en översiktlig presentation av denna forskning se E. Österberg, Methods, hypotheses and study areas i Desertion and Land Colonization in the Nordic Countries c. 1300—1600 (DNÖ:s publ.-serie, 11. 1981), s. 54 ff.

[3] Se t.ex. W. Abel, Agrarkrisen und Agrarkonjunktur (1935; 2:a uppl. 1966); dens., Die Wüstungen des ausgehenden Mittelalters (1943; 2:a uppl. 1955) samt dens., Wüstungen in historischer Sicht, i Wüstungen in Deutschland (1967).

[4] För en representativ bild av fransk forskning inom detta problemområde se skilda förf. i samlingsvolymen Villages Désertés et Histoire Economique XIe — XVIIIe siécle (1965).

[5] Se t.ex. M. Beresford, The Lost Villages of England (1954; 6:e uppl. 1969) samt M. Beresford & J. G. Hurst (red.), Deserted Medieval Villages (1971).

[6] En översikt över forskningsläget i Norden vid början av 1970-talet ges av flera skilda förf. i Nasjonale forskningsoversikter (DNÖ:s publ.-serie, 1. 1972).

I *Sverige* gav Erik Lönnroth med sitt arbete »Statsmakt och statsfinans i det medeltida Sverige» (1940) den första breda översikten över svensk medeltida bebyggelsehistoria. Lönnroth menade, att det huvudsakligen var de svenska centralbygderna, som drabbades av agrarkristen, vilken han sammankopplar med en samtidig kolonisation av rikets perifera delar som småländska höglandet och Övre Norrland.

Agrarkrisen behandlades senare också av t.ex. kulturgeografen Staffan Helmfrid (1962)[7] och de båda historikerna Lars-Arne Norborg (1958)[8] respektive Lars-Olof Larsson (1964).[9] Av dessa undersökte den förre en enhetlig godsmassa, Vadstena-klostrets, medan den senare inriktade sig på ett geografiskt begränsat område, det medeltida Värend. Såväl Norborg som Larsson reviderade i väsentliga stycken Lönnroths uppfattning. De visade, att mönstret inte ägde den enhetlighet, som Lönnroth skisserat. Även perifert belägna odlingsbygder drabbades av ödeläggelsen. Kolonisationen av perifera bygder som småländska höglandet ligger tidsmässigt före agrarkrisens inträffande och kan därför inte vara en följd av denna. Den framväxande forskningen markerade sålunda problemområdets komplexitet och en intensiv forskningsdebatt inleddes, vilken focuserades i rapporteringen till den nordiska historikerkongressen 1964.[10] Forskare med sinsemellan konkurrerande teorier kunde dock enas om att behovet var stort av att i ett samlat nordiskt perspektiv få en mer fullständig bild av den senmedeltida bebyggelseutvecklingen.

Under andra hälften av 1960-talet konkretiserades dessa önskningar genom bildandet av *Det nordiska ödegårdsprojektet*.[11] Avsikten var, att forskare från de olika nordiska länderna och inom skilda discipliner i samverkan skulle försöka ge en så komplett bild som möjligt av den senmedeltida bebyggelseutvecklingen i Norden. Ett antal områden utvaldes för intensivanalys.[12] För att få en så bred variabeltest som möjligt var det önskvärt att undersökningsområdena sinsemellan var differentierade vad be-

[7] *S. Helmfrid*, Östergötland Västanstång (1962).

[8] *L.-A. Norborg*, Storföretaget Vadstena kloster (1958).

[9] *L.-O. Larsson*, Det medeltida Värend (1964).

[10] Se *Problemer i nordisk historieforskning. Rapporter til det nordiske historikermøte i Bergen 1964 (1964)*.

[11] För presentationer av Det nordiska ödegårdsprojektet se *A. Holmsen*, Det nordiske ødegårdsprosjekt, HT 1971:4; *E. Österberg*, Bondesamhälle i fokus, Ale 1972:3; *dens.*, Nordiska ödegårdsprojektet, Humanistisk forskning 1974:2 samt *S. Gissel*, Agrarian decline in Scandinavia, Scandinavian Journal of History 1976:1. För en summering av projektets resultat se *E. Österberg*, Ödegårdar i medeltidens Norden — rapport från ett forskningsprojekt, Bebyggelsehistorisk tidskrift 1981:2; samt skilda förf. i *Desertion and Land Colonization in the Nordic Countries c. 1300—1600* (1981).

[12] Om urvalsprincipen se *E. Österberg*, Methods, hypotheses and study areas i Desertion and Land Colonization in the Nordic Countries c. 1300—1600 (1981), s. 61 ff.

träffar naturförutsättningar (topografi, jordmån, klimat etc.), näringsliv, bebyggelsestruktur (ensamgårdar, små och stora byar) samt ägarförhållanden (frälse, krono, skatte, kyrko etc.). De nordnorrländska älvdalarna med sina storbyar och på blandjordbruk (jakt, fiske, boskapsskötsel och åkerbruk) baserade näringsliv med uteslutande skattebönder framstod i sin egenart som ett självklart undersökningsområde. Men valet av Övre Norrland som undersökningsområde inom Ödegårdsprojektet dikterades framförallt av det då vid slutet av 1960-talet rådande forskningsläget.[13]

Tidigare forskning har velat se bebyggelseutvecklingen i Norden under senmedeltiden huvudsakligen uppdelad i två geografiska zoner med diametralt motsatt förlopp. En sydvästlig zon skulle ha präglats av ekonomisk, bebyggelse- och befolkningsmässig tillbakagång. En nordöstlig zon innefattande bl.a. Övre Norrland, norra Norge och stora delar av Finland skulle å andra sidan ha karakteriserats av expansion inom motsvarande sektorer. Grunden för detta senare står att finna i en rad arbeten, vari Övre Norrlands kolonisation behandlas.[14] Enligt dessa arbeten skulle som ovan nämnts hela nordligaste Sverige och norra Finland ha koloniserats just under perioden 1300—1600, varvid den mest expansiva fasen skulle ha infallit under 1400-talet.[15] En delfråga inom projektet blev därför att försöka fixera den nordbottniska utvecklingen. Ett område motsvarande nuvarande Norrbottens län nedanför den s.k. lappmarksgränsen utvaldes därför som ett av de många områden inom Norden, vars medeltida agrara utveckling skulle intensivundersökas. Föreliggande undersökning går dock utanför de ramar som var projektets ursprungliga. Det gäller speciellt undersökningens kronologiska avgränsning bakåt i tiden.

Ganska snart stod det nämligen klart, att undersökningen kunde berikas på ett fruktbart sätt genom att i diskussionen även beakta arkeologiska, namnvetenskapliga och paleoekologiska forskningsresultat. Därmed var 1300-talets början inte längre någon »naturlig» startpunkt för undersökningen. Den bakre tidsgränsen dikterades i stället av de resultat, som an-

[13] Se *L.-O. Larsson*, Översikt över det svenska forskningsläget inom projektets arbetsfält i Nasjonale forskningsoversikter (1972).

[14] Se främst följande förf. *N. Ahnlund*, Oljoberget och ladugårdsgärde (1924), s. 95—130; *dens.*, Bottniska problem, Sv.D. 2/8 1926; *dens.*, Bebyggelsens utbredning i Norrland under äldre tid, i Gammal Hälsingekultur 1931; *dens.*, Landskap och län i Norrland, Ymer 1942; *C. G. Andrae*, art. Kolonisation i KLNM, 8 (1963); *E. Lönnroth*, Statsmakt och statsfinans i det medeltida Sverige (1940), s. 27 ff.; *S. I. Olofsson*, Övre Norrlands medeltid, i Övre Norrlands historia, 1. (1962) flera ställen spec. s. 140—155 samt s. 188—200; *A. Schück*, Ur Sveriges medeltida befolkningshistoria, i Nordisk kultur, 2. (1938) s. 136 ff.; *B. Steckzén*, Birkarlar och lappar (1964) flera ställen spec. s. 258—281. Se även nedan under not 33 nämnda arbeten.

[15] För utvecklingen i Finland se *A. Soininen*, Finland, i Problemer i nordisk historieforskning. Rapporter til det nordiske historikermøte i Bergen 1964 (1964).

sågs vara relevanta för lösningen av det uppställda problemet. Det innebär i något fall t.ex. beträffande de arkeologiska och paleoekologiska resultaten, att diskussionen griper tillbaka på förhållanden, som kan dateras till flera årtusenden före de första skriftliga källornas förekomst. Innan framställningen koncentreras kring den inledningsvis preciserade frågeställningen, skall jag först kortfattat söka presentera tidigare forskning inom just det speciella avgränsade problemområde som här är aktuellt.

Övre Norrland

Nordnorrländsk bebyggelsehistoria är ett rikt utforskat problemområde, som lockat många forskare från skilda discipliner. Det är naturligtvis omöjligt att här på ett par sidor ge en utförlig presentation av all denna forskning. Jag har heller inte haft den ambitionen. I stället avser jag att försöka skissera några huvudlinjer, som bildat bakgrund till och startpunkt för den undersökning jag själv genomfört och som redovisas i föreliggande framställning.

Bland *arkeologer* har man främst intresserat sig för älvdalarnas övre delar och strandområdet i anslutning till älvarnas källsjöar.[16] Ofta har de arkeologiska undersökningarna varit s.k. exploateringsgrävningar d.v.s. de har föranletts av att undersökningslokalen varit berörd av kommande vattenregleringar i samband med kraftverksanläggningar. Huvuddelen av utgrävningarna har således varit koncentrerade till områdets inland, där också de flesta förhistoriska boplatserna påträffats. Beträffande nuvarande kustlandet inskränkte sig arkeologernas intresse länge till de ovan mark synliga fornlämningarna. Ett markerat inslag bland dessa utgör de s.k. kuströsena, vilka finns ända upp till gränslandet mellan Skellefte och Pite socknar. Påträffade kuströsen saknas sedan norröver och återkommer först i Uleborgstrakten på östra sidan av Bottenviken. I norra Norrbotten har två gravhögar påträffats i Espinära resp. Sangis (se karta s. 101). Den senare har utgrävts och befunnits vara från Vendeltid/tidig vikingatid. Eftersom landet här uppe höjer sig ur havet med i medeltal knappt 1 meter/århundrade, kan många av de boplatser som påträffats i inlandet mycket väl en gång i tiden ha varit kustnära bosättningar. Samtidigt innebär landhöjningen, att stora delar av kustlandet först sent blivit torrlagda och tillgängliga för bosättning. Därmed ges också en utgångspunkt för datering

[16] Översikt över här aktuell arkeologisk forskning på basis av bl.a. *I. Serning*, Övre Norrlands järnålder (1960); *H. Christiansson*, Kalixbygdens förhistoria, i Kalix, 3. (1971); *K. Lundholm, Från stentid till järntid* (1973); *I. Zackrisson*, Lapps and Scandinavians (Early Norrland, 10., 1976); *Th. Wallerström*, Medeltidsarkeologi i Norrbotten — En översikt och några reflexioner, Meta 1982: 3.; *dens.*, Kulturkontakter i Norrbottens kustland under medeltiden, Norrbotten 1982—83.

av sådana lokaler. Många fornlämningar ligger utan anknytning till nuvarande bygd, varför med stor sannolikhet stora delar av ett existerande fornlämningsmaterial fortfarande är okarterat.

Det var länge en allmänt omfattad åsikt, att Norrland varit obefolkat fram till mitten av yngre stenålder. Nya forskningar med bättre dateringsmöjligheter har kraftigt reviderat denna uppfattning.[17] Den äldsta boplats, som påträffats (Lundfors i Skelleftedalen), kan dateras till c:a 4.000 f. kr.[18] Vidare kan Övre Norrland konstateras ha tagit del i ett livligt kulturutbyte över hela Nordskandinavien under stenåldern. För vissa tidsperioder tyder fyndmaterialet även på rikliga kontakter söderut och österut. Vid många arkeologiska undersökningar har ett närgånget granskande av fyndmaterialet kombinerats med försök att tolka detta i ett vidare sammanhang. Ibland har just huvudsyftet varit att med utgångspunkt från förefintligt fyndmaterial söka skapa bredare bebyggelsehistoriska överblickar. Redan en stor del av Gustaf Hallströms vetenskapliga produktion är just sammanhangsskapande. Carl-Axel Mobergs spridnings- och funktionsanalyser av nordbottniska redskap ligger i linje härmed. Nämnas kan även Mårten Stenberger som tidigt satte den nordnorrländska utvecklingen i relation till den sydsvenska.[19]

Denna inriktning av norrländsk arkeologi har ytterligare markerats i forskningsprogrammen för de två stora forskningsprojekten *Nordarkeologi* respektive *Norrlands tidiga bebyggelse (Early Norrland),* vilkas respektive verksamhet fortlöpande avrapporterats.[20] För Norrbottens del har det tidigare saknats större utgrävningar i kustlandet och en intensivare inriktning av de arkeologiska undersökningarna på tidsperioden fr.o.m. vikingatid och framåt. Det har länge varit önskvärt, att arkeologiska resultat finge kontakt med och kunde lyftas in i historievetenskapliga förklaringsmönster.

Namnforskningen delar med arkeologin dualismen mellan den intensiva inriktningen på det enskilda undersökningsobjektet, i detta fall namnet, och dettas relevans för ett vidare bebyggelsehistoriskt sammanhang. Personnamnsforskningen har varit inriktad på att med utgångspunkt från

[17] Främst kol 14-metoden. För en beskrivning av denna se *H. Sundström,* Ogräs i odlingshistoriens tjänst (1983), s. 10—21.

[18] Se främst *N. Broadbent,* Coastal Resources and Settlement Stability (1979).

[19] Se t.ex. *G. Hallström,* Norrlands bebyggelsehistoria och förhistoriska utveckling, i Norrland. Natur, befolkning och näringar (1942); *C.-A. Moberg,* Studier i bottnisk stenålder, 1—4 (1955) samt *M. Stenberger,* Det forntida Sverige (1964).

[20] För forskningsprojektet *Norrlands tidiga bebyggelse* se artiklar av *E. Baudou* resp. *M. Biörnstad* i Fornvännen 1967 resp. 1968 samt publ. undersökningar i serien *Early Norrland.* För forskningsprojektet *Nordarkeologi* se t.ex. *H. Christianson,* Nordarkeologi gräver, i Västerbotten 1970 samt uppsatser av dens. resp. E. Westerlund i *Nordsvensk forntid* (red. H. Christiansson & Å. Hyenstrand; 1969).

namnskicket fastställa spridningsvägar och därmed kulturinfluenser.[21] Personnamnsforskningen är dock blygsam till omfattningen jämförd med ortnamnsforskningen. Den senare är också mer skiftande till karaktären. Namnforskningen för området kompliceras av att så många olika språkliga influenser som skandinaviska, finska, lapska och även tyska här gjort sig gällande. Samtidigt utgör detta förhållande en möjlighet att söka skikta de språkliga influenserna varvid dessa i bästa fall kan ge upplysning om språkbärarnas invandringsvägar och bosättningens kronologiska skiktning.[22] Ortnamnsforskningen har sålunda ofta inriktats på att klargöra enskilda namnelements språkliga tillhörighet, betydelseinnehåll och ålder.[23] De nordnorrländska älvnamnen har diskuterats livligt i detta sammanhang.[24] Enskilda främmande namnelement i en i övrigt homogen språklig miljö har naturligtvis tilldragit sig speciellt intresse.[25] Men även hela socknars ortnamnsförråd har varit föremål för sorgfällig granskning, varvid resultaten ofta satts in i ett bebyggelsehistoriskt sammanhang.[26] Undersökning av ortnamnslån och spridningsfenomen är ytterligare exempel på sådan bebyggelsehistoriskt inriktad ortnamnsforskning.[27] Norrbottens och speciellt då Tornedalens finska namnförråd har ansetts svårdaterat, eftersom de finska namnen i motsats till de skandinaviska inte lika lätt låter sig uppdelas efter åldersspecifika namnelement.[28] Det har saknats metodisk kunskap att överbrygga denna svårighet med.

[21] Se t.ex. *K.-H. Dahlstedt*, Istral, Sjul och Kerstorp. Ett kapitel om gamla norrländska personnamn, Norrländsk tidskrift 1963: 2; *G. Holm*, Om personnamn i nordnorrländska ortnamn, i Anthrophonymica Suecana, 6., (1965) samt i samma publ. *G. Pellijeff*, Ur Norrbottens äldsta mantalslängder. Se numera även *B. Audén*, Bottniska personnamn (1980). Personnamnsstudier ingår också ofta som en integrerad del i ortnamnsundersökningar, se t.ex. cit. arbete av Holm.

[22] Se numera framförallt *J. Vahtola*, Tornionjoki- ja Kemijokilaakson asutuksen synty (1980). Bland övriga exempel kan nämnas *K.-H. Dahlstedt*, Ortnamn, språkkontakt och fornhistoria, Norrbotten 1970, samt *H. Tenerz*, Namnen i Tornedalen under 1500-, 1600- och 1700-talen, Norrbotten 1960.

[23] Några exempel är *K. B. Wiklund*, Namnet Luleå och de forna nationalitetsförhållandena i Norrbotten, Ymer 1904; *G. Holm*, Bottniska namnstudier, NoB 1949 samt *dens.*, Tre bottniska ortnamn, NoB 1955.

[24] T.ex. av *G. Holm*, i not 23 cit. arbete (1955) samt *dens.*, Namntypen Umeå och höjdnamnet Månen, OUÅ 1958; *B. Collinder*, Luleå, i Quatrième congrès internationale de sciences onomastiques (1952); *dens.*, Ordbok till Sveriges lapska ortnamn (1964), s. 120, 158 samt *G. Widmark*, Bottniska vattendragsnamn, Västerbotten 1967.

[25] Se t.ex. *K.-H. Dahlstedt*, Nästansjö, NoB 1967 samt *dens.*, Some observations on scandinavian-lappish place-names in swedish Lapland, i Lapps and Norsemen in Olden Times. Instituttet for sammenlignende kulturforskning, A: 26 (1967).

[26] Se främst *G. Holm*, Ortnamnen i Lövånger, i Lövånger (1949); *dens.*, Några äldre ortnamn, i Umeå sockens historia (1970); *G. Pellijeff*, Kalixbygdens ortnamn, i Kalix, 1 (1967) samt ovan i not 22 citerat arbete av *J. Vahtola* (1980).

[27] En uppspaltning av metoden fås i *G. Pellijeff*, Ortnamnslån, NoB 1966.

[28] Se ovan i not 22 citerat arbete av *J. Vahtola* (1980).

Kulturgeografer och *etnologer* har främst varit intresserade av bosättningens rumsliga och judiciella organisering. Undersökningsobjekten har varit agglomerationsformer, bebyggelsespridning, resursutnyttjande och bylivets rättsliga ramar.[29] Den kronologiska tonvikten ligger i så gott som samtliga fall på tiden efter 1500-talets mitt. Om någon gång tiden dessförinnan berörs, sker det oftast som bakgrundsteckning till en analys av efterföljande tidsperioder. Ett undantag utgörs dock av Ingvar Jonssons undersökning av Norrlands jordbeskattning och kamerala organisation under äldre tid, varvid även den medeltida bebyggelseutvecklingen berörs.[30] I detta sammanhang redovisar Jonsson, i likhet med resultatet av här föreliggande undersökning, en från tidigare forskning avvikande uppfattning, vilket vi skall återkomma till i senare sammanhang.

Det torde dock vara inom *historievetenskaplig* forskning, som den medeltida bebyggelseutvecklingen ägnats störst intresse.

I en del undersökningar har de nordnorrländska förhållandena behandlats översiktligt inom ramen för större problemkomplex,[31] medan i andra analysnivån närgånget nedflyttats till by- och sockenplanet. En livaktig lokalhistorisk forskning har därvid resulterat i ett flertal socken- och kommunhistoriker.[32] Oavsett undersökningarnas allmänna inriktning kännetecknas de alla av den starka fixeringen vid det traditionella skrifthistoriska källmaterialet. Resultaten av en analys av detta är också förvånande i sin enhetlighet.

Forskningen har länge betraktat Norrbotten som en sent uppodlad trakt, vars bebyggande härstammar ur mellansvenska initiativ.[33] Startskottet för den svenska expansionen i Norra Bottnen anses ha varit en händelse, som

---

[29] Se t.ex. G. *Göthe*, Om Umeå lappmarks svenska kolonisation (1929); G. *Enequist*, Övre Norrlands storbyar i äldre tid, Ymer 1935; *dens.*, Nedre Luledalens byar (1937); G. *Hoppe*, Vägarna inom Norrbottens län (1945); E. *Bylund*, Koloniseringen av Pite lappmark t.o.m. år 1867 (1956); S. *Rudberg*, Ödemarkerna och den perifera bebyggelsen i inre Nordsverige (1957); R. *Bergling*, Kyrkstaden i övre Norrland (1964). Se även de två etnologerna Å. *Campbell*, Från vildmark till bygd (1948; 2:a uppl., 1982) och O. *Isaksson*, Bystämma och bystadga (1967).

[30] I. *Jonsson*, Jordskatt och kameral organisation i Norrland under äldre tid (1971).

[31] Se ovan i not 14 refererad litteratur samt även i viss mån ovan i not 29 anf. litteratur.

[32] Förutom nedan i not 33 anf. litteratur se bl.a. Kalix, 1—3 (1967—1971). Se numera även Bodens kommun från forntid till nutid (1980) samt O. *Hederyd*, Överkalix, 1., (1982).

[33] Förutom i not 14 anf. litteratur se spec. A. *Bygdén*, Källorna till Piteå sockens äldsta historia (1921); A. *Nordberg*, En gammal norrbottensbygd, 1. Anteckningar till Luleå sockens historia (1928; 2:a uppl., 1965); J. G. *Westin*, Bygden växer, i Skellefte sockens historia, 1: 1., (1953); K. *Fahlgren*, I katolsk tid, i Bygdeå sockens historia (1963); *dens.*, Bygden växer, i Umeå sockens historia (1970) samt E. *Westerlund*, Skelleftebygdens historia, 1., (1973).

1323 inträffar på den lilla Nötön i floden Nevas utlopp i Ladoga. Enligt ryska krönikor slöts här nämligen freden mellan Sverige och Novgorod, den s.k. Nöteborgsfreden. Den skulle få vittgående följder för Norrbottens förmälning med den mellansvenska centralmakten. Fredstraktatens gränsangivelser var luddigt formulerade och gav spelutrymme för en företagsam svensk centralmakt. Genom att på olika sätt markera områdets samhörighet med det svenska riket skulle Novgorod ställas inför fullbordat faktum. Svenskarnas uppfattning om hur gränsen gick, skulle underbyggas genom att visa, hur utbredd svensk bygd i praktiken var. Den svenske konungen Magnus Eriksson var ännu inte vuxen, varför de svenska intressena bevakades av en förmyndarregering. Flera av rikets stormän med ärkebiskop och riksdrots i spetsen har ansetts stå i ledningen för ett väldigt kolonisationsföretag — vildmarken kring norra Bottenviken skulle nu bebyggas och uppodlas så snabbt som möjligt. Ärkebiskopen, hälsingefogden samt två andra stormän gör Lule älvdal till sin intressesfär. Pitetrakten omhändertogs av riddaren och riksdrotsen Nils Abjörnsson Sparre. Han lär ha transporterat upp bönder hit, förmenligen från sina mellansvenska gods Ängsö och Salsta, så att Norrbotten kunde börja uppodlas. Kyrkor byggs och församlingar bildas. Enligt tidigare historieforskning har det dock fortfarande vid 1400-talets början inte varit fler än något hundratal själar i varje socken. Det är först under 1400-talet, som nästa stora steg i den odlade bygdens tillblivelse inträffar. I ett enda slag skall nu bebyggelse och befolkning ha sexdubblats i vissa socknar och t.o.m. tiodubblats i vissa andra.

Enligt denna uppfattning hade således den fasta bygden vid 1300-talets början inte hunnit längre upp än till de södra västerbottenssocknarna Umeå och Bygdeå. Norr därom har vildmarken tagit vid. Här har bara jakt- och fångstfolk huserat. Idén om växtodling och boskapsskötsel skulle alltså ha varit okänd här uppe vid denna tid.

Grunden till denna uppfattning har lagts av generation efter generation av historiker. Dessa har förlitat sig på uppgifter i det skriftliga källmaterialet. När detta har sviktat, har den vetenskapliga konjekturen fått fylla ut bildens konturer.

En av de tidigaste företrädarna för modern norrländsk bebyggelsehistorisk forskning, E. G. Huss, berör i sin 1902 publicerade undersökning av landskapet Västerbottens 1500-talsutveckling i förbigående även den medeltida utvecklingen. Han uttalar sig härvid med stor försiktighet och undviker att ansluta sig till den redan då uppkomna teorin om Övre Norrlands sena kolonisering.[34] En teori, som eljest tidigt blev knäsatt och sedan

---

[34] *E. G. Huss*, Undersökning öfver folkmängd, åkerbruk och boskapsskötsel i landskapet Västerbotten åren 1540—1571 (1902). Se t.ex. förordet s. 9 samt senare i framställningen på flera ställen.

i stort sett invändningsfritt accepterats inom historievetenskaplig forskning fram till 1960-talets mitt.[35]

Företrädare för andra discipliner t.ex. geografer och arkeologer har dock varit litet försiktigare i sitt accepterande.[36] De resultat deras egna forskningar lett fram till har inte alltid friktionsfritt låtit sig förenas med den gällande, historievetenskapligt grundade teorin. Respekten för historikernas analys har dock uppenbart varit mycket stor, eftersom den senare aldrig allvarligt har ifrågasatts. Under 1960-talet kom dock teorin att prövas i två mindre av varandra oberoende historiska undersökningar.[37] Båda dessa forskare yppade en viss skepsis inför den gällande kolonisationsteorins hållbarhet. Vid 1970-talets början kom två andra forskare var på sitt håll att tillföra denna skepsis ytterligare argument. I den ena undersökningen utgick Ingvar Jonsson ifrån en analys av Norrlands på jord vilande skatter under äldre tid.[38] Ett av delresultaten härvid innebar att en alternativ teori uppställdes för den senmedeltida bebyggelseutvecklingen. Den andra refererade undersökningen ansvarade jag själv för.[39] Den kom att utgöra starten för det forskningsarbete, som redovisas i föreliggande framställning. Utifrån helt andra utgångspunkter ifrågasattes här ett för den tidigare teorins förespråkare centralt källmaterial.

Som ovan påpekats är det medeltida skriftliga materialet starkt begränsat till omfånget och något skiftande till karaktären. Det är också långt ifrån entydigt till sitt innehåll. Skärskådas den av tidigare forskning lanserade teorin, visar sig argumentationen ofta vara bräcklig och historieskrivningen långt ifrån alternativlös. Det skriftliga materialets uppgifter kan tolkas ur andra perspektiv än de som valts av tidigare historieforskning.

Först det statliga räkenskapsmaterialet från 1500-talets mitt ger underlag för den tidigaste någorlunda säkra rekonstruktionen av bebyggelsesituationen i Norrbotten. Då finner vi en väl etablerad bondebygd uppefter alla de stora älvdalarna. Byarna har då hunnit bli 140 st. och det finns över 1100 skattande bönder. Då är hushållsmedlemmar vid sidan om husbonden inte medräknade. Folkmängden torde således ha varit uppemot 4—6.000 personer.[40]

[35] Jfr t.ex. *E. W. Bergman*, Strödda bidrag till Västerbottens äldre kulturhistoria, HT 1890 med senare tiders sockenhistoriker samt ovan i noterna 14 och 33 ref. litteratur.

[36] Se t.ex. *G. Enequist*, Övre Norrlands storbyar i äldre tid (1935), s. 174.

[37] *L.-A. Norborg*, Sverige, i Problemer i nordisk historieforskning. Rapporter til det nordiske historikermøte i Bergen 1964 (1964) samt *H. Svensson*, Kolonisationen av Piteåbygden, Norrbotten 1961.

[38] Se ovan under not 30 anf. arbete av *I. Jonsson* (1971).

[39] *H. Sundström*, Den senmedeltida bebyggelseutvecklingen i Övre Norrland (stencil, DNÖ:s symposium i Evedal, Växjö 14—16 sept. 1970.).

[40] Beräkningen är grov men bygger på gängse uppskattningar av hushållens storlek

Källmaterialets fiskaliska natur innebär att denna rekonstruktion avspeglar ett minimiläge för bebyggelsens framväxt. Det spelar mindre roll i föreliggande sammanhang. Det är mot bakgrund av detta bebyggelseläge som den tidigare utvecklingen måste analyseras. Det skriftliga källmaterialet för tiden före 1500 är emellertid inte bara sparsamt förekommande utan även av en sådan karaktär att det näppeligen kan avlockas någon *utförligare* bebyggelsehistorisk information. Därmed inte sagt att en förnyad analys av det behöver bli resultatlös, vilket skall visas senare i framställningen.[41] Men under arbetets gång stod det rätt snart klart, att vad som kan betecknas som traditionell historievetenskaplig metod tillämpad på skrifthistoriskt källmaterial inte skulle leda till någon *rekonstruktion* av bebyggelseutvecklingen på liknande sätt som det delvis varit möjligt i vissa andra delar av Skandinavien.[42] Utmärkande för Norrland är nämligen bl.a. en social struktur med enbart självägande bönder, något som har till effekt att åtkomsthandlingar och jordeböcker över större enskilda jordinnehav saknas.

Problemformulering

Forskningssituationen vid början av min undersökning kan sålunda sammanfattningsvis sägas ha varit följande.

Inom historievetenskaplig forskning fanns en väl etablerad teori om att Övre Norrland koloniserats under senmedeltiden. Några enstaka undersökningar hade på senare tid ifrågasatt denna teoris giltighet. I en till mitt avhandlingsarbete inledande undersökning hade jag själv kunnat konstatera, att den tidigare forskningens analys av det skriftliga källmaterialet inte saknade brister. Bland företrädare för andra discipliner än historia fanns de som iakttog en viss återhållsamhet gentemot den inom historieforskningen förhärskande uppfattningen. Dessa olika forskare hade dock inte någon gemensam problemställning eller infallsvinkel, i förhållande till vilken teorins hållbarhet kunde prövas. Historikerna var fångna i det skriftliga materialets begränsade möjligheter och varje tvärvetenskaplig ansats saknades.

Det fanns tvärtom en risk för att de inom historieforskningen knäsatta teorierna skulle utgöra ett hinder för att konsekvenserna av inom andra

(4—6 personer/hushåll) i det förindustriella Norrland. Se *H. Forssell*, Norrland 1571—1870. Ett försök till statistisk historik, Svensk Tidskrift 1872: 2. s. 185 f.

[41] Se nedan s. 31—65, avsnittet *Bondebygd blir till.*

[42] Se flera ställen i *Desertion and Land Colonization in the Nordic Countries c. 1300—1600* (1981) spec. *J. Sandnes*, Settlement developments in the late middle ages (approx. 1300—1540).

discipliner uppnådda resultat skulle bli uppenbara. Sålunda var det angeläget, att disciplin- och kunskapsgränser i görligaste mån bröts ned för att därigenom möjliggöra en fastare koppling mellan olika discipliner och de kunskapsområden de representerade. Tolkningsramarna för analys av det skriftliga materialet kunde måhända vidgas, om annat material analyserades med andra metoder. En tvärvetenskaplig inriktning av undersökningen upplevdes som den enda möjligheten att komma närmare det uppställda problemets lösning.

Om jag skulle fortsätta min undersökning var mot denna bakgrund forskningsstrategien ganska given. Det skriftliga materialet skulle underkastas förnyad analys, samtidigt som jag skulle söka attackera min problemställning i samarbete med företrädare för andra discipliner. Nya typer av källmaterial borde därmed kunna analyseras, vilket med nödvändighet måste ske med för historikern otraditionella metoder. När detta genom lyckliga omständigheter[43] blev möjligt, tillfördes undersökningen en dimension, som skulle visa sig vara vetenskapligt fruktbar. Men genom denna tvärvetenskapliga ansats uppstod också för forskningsarbetet tidskrävande komplikationer.

Parallellt med det inledande stadiet av min egen undersökning hade undersökningar av samma problemområde påbörjats av arkeologer, namnforskare och kvartärbotaniker knutna till såväl svenska som finska forskningsinstitutioner.[44] Genom Det nordiska ödegårdsprojektets programmatiskt uttalade internordiska och tvärvetenskapliga inriktning fanns det en handlingsberedskap att knyta kontakter mellan dessa skilda forskare.[45] De institutionella hindren var härigenom lättöverkomliga och snart konstituerades en forskningsgrupp med den övergripande problematiken inriktad på utforskandet av Tornedalens äldre bosättningshistoria. Gruppen var organisatoriskt löst sammanknuten men kom att förenas fastare i den gemen-

[43] Se nedan not 45.

[44] Av dessa var *Kyösti Julku* (historiker), *Jouko Vahtola* (namnforskare/historiker), *Pentti Koivunen* (arkeolog) samt *Mervi Hjelmroos* (kvartärbotaniker) knutna till Uleåborgs universitet. Vid Norrbottens museum fanns arkeologen *Kjell Lundholm*, medan namnforskaren *Gunnar Pellijeff* verkade vid Ortnamnsarkivet i Uppsala. Senare tillkom ytterligare en arkeolog från Norrbottens museum, *Thomas Wallerström*, medan Mervi Hjelmroos flyttade från Uleåborgs universitet till Kvartärbotaniska laboratoriet vid Lunds universitet. En stor del av de kvartärbotaniska undersökningarna skedde i samarbete mellan Mervi Hjelmroos och Christian Reynaud, Uleåborgs universitet.

[45] Ordf. i Ödegårdsprojektets samordningskommitté, professor *Erik Lönnroth*, tog kontakt med professor *Kyösti Julku* vid Uleåborgs universitet för att söka samordna befintliga forskningsresurser kring ett gemensamt problemområde, Tornedalen. Ekonomiskt stöd från de svenska och finska forskningsråden samt från Kulturfonden för Sverige—Finland gjorde det möjligt att 1973 konstituera Forskningsgruppen kring Tornedalens äldre bosättningshistoria, vari kom att delta de ovan under not 44 nämnda forskarna samt författaren.

samma problemställningen. Om de organisatoriska hindren var lättöverstigliga återstod mer svårlösliga forskningsproblem. De olika ämnenas kunskapsgränser visade sig vara ett inte alldeles lätt undanröjt hinder.

Det har visserligen hävdats, att vetenskapliga problem egentligen inte är ämnesspecifika till sin innersta karaktär.[46] De är varken historievetenskapliga, onomastiska eller paleoekologiska. De är bara problem. Kunskap, som kan leda till problemens lösning, nås dock via analyser av olika typer av källmaterial. Beroende på källmaterialets karaktär har olika specifika analysmetoder utvecklats. Dessa metoder inringar i sin tur bestämda, avgränsade problemområden. Trots de enskilda disciplinernas särart är det dock nödvändigt att närma sig varandras problemområden.[47] Problemet måste därför vara av så övergripande natur som möjligt med naturligt tillfogade delproblem, som är forskningsbara för samtliga i forskningssamarbetet inblandade discipliner. Det är härvid nödvändigt att identifiera, i vilken utsträckning de enskilda disciplinernas kunskapsbank kan utgöra en resurs vid lösandet av den gemensamma, överordnade problemställningen. Men härigenom markeras också kravet på att de enskilda disciplinföreträdarnas kunskapsgränser vidgas. Det är naturligtvis inte nödvändigt, och knappast ens önskvärt, för en historiker att själv kunna bedriva t.ex. paleoekologisk forskning. *Men* det är nödvändigt för denne att kritiskt kunna utvärdera de uppnådda paleoekologiska resultatens relevans för den gemensamma problemlösningen. För att kunna göra detta måste historikern ha kännedom om de paleoekologiska metodernas karaktär, inslaget av felkällor etc. Mot bakgrund av sådana insikter och genom fortlöpande diskussioner kan sedan fruktbringande gemensamma problemställningar formuleras. Tvärvetenskapliga ansatser kan därigenom leda fram till att de inblandade forskarna tillägnar sig ett gemensamt perspektiv, vilket de inte skulle ha haft om de arbetat isolerat inom sina traditionella kunskapsgränser. Dessa omständigheter tillsammans ledde till att den ursprungliga problemställningen för föreliggande undersökning vidgades och mångfacetterades. Slutligen kom den att bestå av följande delproblem.

— Hur ter sig i ett vidgat tidsperspektiv den faktiska bebyggelseutvecklingen i Norrbotten fram till bebyggelsesituationen vid mitten av 1500-talet?
— Hur förhåller sig denna till utvecklingen dels på Nordkalotten betrak-

[46] T.ex. G. *Myrdal*, Objektivitetsproblemet i samhällsforskningen (1968), s. 17 f.
[47] Tvärvetenskapens problem har på senare år varit föremål för en livlig diskussion bl.a. av forskare som *Jan Bärmark* och *Göran Wallén*, knutna till Institutionen för Vetenskapsteori vid Göteborgs universitet. Lättöverskådliga sammanfattningar finns i B. *Jungen*, Om tvärvetenskap. Tillvägagångssätt och intellektuella svårigheter (1983) samt framförallt A. *Granberg*, Tvärvetenskap som ett definitions- och tolkningsproblem (1976).

tad som en sammanhållen region, dels i övriga Sverige samt slutligen i ett samlat nordiskt perspektiv?

— Kan ökad bebyggelsehistorisk kunskap nås, om dels undersökningen ges en tvärvetenskaplig inriktning och dels utvecklingen analyseras utifrån ett medvetet valt perspektiv som det ekologiska eller det teknologiska?

— Vilka konsekvenser får sådana perspektivval och en sådan inriktning av undersökningen för material- och metodval, för eventuell omformulering av problemställningen och slutligen för resultatens karaktär?

Bondebygd blir till

Reprint av s. 144—176
ur *Faravid* 2—78

Hans Sundström:

Bondebygd blir till:
Övre Norrlands äldsta bosättningshistoria
i ljuset av det skriftliga materialet

I Inledning

Fordomdags utgjorde trakterna kring Bottniska vikens innersta del ett enhetligt område — Norra Bottnen. Den del av detta som låg väster om Bottenviken kallades för Västerbotten till skillnad från den del som låg österut och kallades Österbotten. I och med inrättandet av Korsholms län på 1380-talet låg de också under gemensam fogdeförvaltning fram till 1440-talet varefter Västerbotten blev eget fogdedistrikt. I sin tur skilde man så småningom beträffande Västerbotten på dess kustland och dess lappmarker, varvid de senare kom att utgöra landskapet Lappland och det förra blev landskapet Västerbotten. Det senare omfattade således hela det område som nedanför lappmarksgränsen sträckte sig från och med Umeå älvdal i söder till och med Torneå älvdal i norr. Länsindelningen 1810 innebar emellertid att de nordliga delarna av landskapen Lappland och Västerbotten sammanfattades till Norrbottens län medan de sydligare delarna blev Västerbottens län. Gränsen kom att gå mellan Piteå och Skellefteå älvdalar. Enligt ännu gällande administrativa gränser motsvaras det forna landskapet Västerbotten av nuvarande Norr- och Västerbottens län nedom lappmarksgränsen. Det är detta område som skall behandlas i föreliggande framställning. Tilläggas bör dock att området vid den tid som här är aktuell inte var lika klart avgränsat mot lappmarkerna som senare blev fallet.

Den som vill färdas från Umeå till Torneå kan nuförtiden göra detta bekvämt med bil längs den nya kustlandsvägen, som även är den nordligaste delen av europaväg 4. Vägen går stundtals i yttersta kustbandet och resenären kan då blicka ut över havet till höger om sig. Vägens sträckning har sin grund i många förhållanden. Nere vid kusten ligger områdets befolkningscentra och här bjuder också naturen det minsta motståndet för en vägbyggare. Resandet i den här riktningen har sedan urminnes tider varit knytet till kusten, numera oftast till lands men fordom oftast till sjöss. Det senare berodde naturligtvis på de hinder som naturen uppställde för en resa till lands och som då var avsevärt mer svårövervinneliga än vad de är nu. Ännu idag kan dock resenären uppleva några drag i den ursprungliga topografin som inte ens modern vägröjningsteknik kunnat utplåna.

3

Två av områdets främsta karakteristika är å ena sidan de breda älvar som rinner ner till Bottniska viken från fjällregionen samt å andra sidan vattendelarna/höjdryggarna mellan älvdalarna. Vägen passerar över otaliga broar som spänner över stora och små älvar. Samtidigt kan bilfärden liknas vid en tur i en långt utdragen berg- och dalbana eftersom vägen går från djupet av en älvdal upp över vattendelaren, ner i nästa älvdal och upp över nästa vattendelare och så vidare. Resandet förr i tiden gick sålunda mycket sällan tvärs mellan älvdalarna utan man färdades uppefter älven och längs kusten till sjöss. Skulle man till exempel färdas från mitten av en älvdal till mitten av en annan älvdal tog man sig först ned till kusten och sedan uppefter den andra älvdalen. Området mellan älvdalarna var då i ännu högre grad än nu vildmark. Än idag är det tätt skogbevuxet och mycket glest bebyggt. I stor utsträckning utgör således fortfarande de olika älvdalarna från varandra åtskilda enhetliga bygder. Många för odlingens framväxt gynnsamma faktorer har också sin koncentration till älvdalarna. Hela det område som behandlas här har legat under högsta kustlinjen. De för odling gynnsamma havs- och älvsedimenten finns i anslutning till älvarnas ofta breda mynningsvikar och längs älvstränderna vilka i varje fall längs älvarnas nedre lopp är flacka och lämpade till odling. I älvarna fanns möjligheter till fiske.

Områdets historia börjar på 1300-talet eftersom skriftlig dokumentation, med undantag av några mycket allmänt formulerade uppgifter i bland annat berättande källor, saknas före ingången av detta århundrade. Så gott som allmänt inom tidigare forskning har man antagit att området får sin första egentligt bofasta befolkning vid 1300-talets början. Denna befolkning är då relativt ringa och bebyggelsen föga utbredd.

Under 1400-talet, har man menat, sker en intensiv kolonisation vars resultat kan avläsas i den folkmängd och utbredda bygd som enligt källmaterial från 1500-talet finns i områdets alla större älvdalar.

Det skriftliga källmaterial som legat till grund för ovanstående uppfattning har här analyserats utifrån nya utgångspunkter. Resultatet därav har lett till en omprövning av den etablerade uppfattningen vilken måste korrigeras på väsentliga punkter. Genom att ett fruktbärande tvärvetenskapligt samarbete[1] har kunnat etableras har den senaste tidens forskningar inom arkeologi,

---

[1] Detta samarbete sker huvudsakligast inom ramen för »Forskningsgruppen kring Tornedalens äldre bosättningshistoria» i vilken ingår såväl finska som svenska representanter för historia, arkeologi och namnforskning. De finska deltagarna är verksamma vid Uleåborgs Universitet och leds av professor Kyösti Julku.

kvartärbiologi och namnforskning visat att denna omvärdering får stöd i dessa forskningars resultat. Dessa kommer att behandlas utförligt i andra sammanhang.[2] I den här aktuella framställningen kommer endast att behandlas analysen av det skriftliga materialet. De grunder varpå den tidigare forskningen byggt sin uppfattning skall därför här granskas bit för bit.

II Byggelseutvecklingen under 1300-talet

II:1 Inledning.

Den tidigare forskningens uppfattning om bebyggelseutvecklingen under 1300-talet i Övre Norrland har huvudsakligen grundats på en analys av några få bevarade diplom, ett par kyrkliga uppbördslängder, textställen i Hälsingelagen samt inte minst röktalsuppgifterna i Erik av Pommerns s k skattebok. De senare har förmodats ge en uppfattning om bebyggelsens status i början av 1400-talet och därmed så att säga det bebyggelsemässiga resultatet av 1300-talskolonisationen. Naturligt nog har tolkningen av de olika källgrupperna varit beroende av varandra. Skatteboksuppgifterna har setts i skenet av analysen av 1300-talsmaterialet och tvärtom.

Medan skatteboksuppgifterna skall diskuteras senare i framställningen skall denna här närmast centreras till en diskussion av 1300-talsmaterialet. Denna diskussion skall främst ses som ett försök att i diskussionsinläggets form aktualisera en annan tolkning än den gängse av det aktuella materialet. För att få en referensram till denna diskussion skall här först den tidigare forskningens uppfattning kortfattat refereras.

Med undantag av en nomadiserande fångstbefolkning var Övre Norrland i det närmaste helt obebyggt fram till 1300-talets början. Spec. gäller detta den norra delen av området, dvs nuvarande Norrbotten. Endast områdets allra sydligaste del, Umeå och Bygdeå, kunde vid denna tid sägas utgöra organiserad bygd. I och med ingången av 1300-talet börjar området koloniseras i sin helhet. Denna kolonisation intensifieras fr o m 1320-talet och tiden för Nöteborgfredens tillkomst. Understödd av staten sker den under ledning av dåvarande ärkebiskopen och andra stormän. Det tycks härvid som

---

[2] Se t ex Hans Sundström, Jouko Vahtola, Pentti Koivunen. Den äldsta bosättningen i Tornedalen. Ett exempel på interdisciplinär forskning. (Rapport från Forskningsgruppen kring Tornedalens äldre bosättningshistoria. Stencil, Lund 1978). Se även i noterna 54—61 anförd litteratur.

om kolonisationsföretaget har utgått från Hälsingland och/eller Mälardalen. De i detta inblandade stormännen erhåller donationer i några av älvdalarna för att de ombesörjer landets uppodlande och bebyggande. Så småningom tar staten över ansvaret för kolonisationen och befrämjar denna genom att utfärda skattelättnader för nybyggarna. Om kolonisationens framväxt under 1300-talet vittnar tillkomsten av kapell och kyrkor i de olika älvdalarna. Trots detta är dock bebyggelsens storlek blygsam vid ingången av 1400-talet (1413). Först under det kommande århundradet sker den verkliga bebyggelse- och befolkningsexpansionen som i avtagande takt fortsätter in på 1500-talet.

Ovanstånde uppfattning skall här nedan diskuteras och av praktiska skäl skall då först granskas metoden att utifrån iakttagelser områdets kyrkor och kyrkliga administration dra slutsatser beträffande bebyggelse- och befolkningsstatus i området. I övrigt kan diskussionen av 1300-talsutvecklingen lämpligen centreras kring följande frågor: Hur stor del av området hade fast bebyggelse vid 1300-talets början?

När startar kolonisationen av områdets nordligare delar?

Vad betyder statliga och enskilda initiativ för kolonisationsförloppet?

Varifrån utgår kolonisationen?

Den sistnämnda frågan kan i mycket ringa utsträckning belysas genom historiskt källmaterial och med historisk metod, varför nedanstående diskussion huvudsakligen skall inriktas på de tre andra frågorna.[3]

II:2 Undersökning av kyrkliga förhållanden.

Metoden att utifrån iakttagna förändringar av de kyrkliga förhållandena dra slutsatser om förändringar av bebyggelse och befolkning kan starkt ifrågasättas. Att man ändå använt sig av metoden har givetvis sin förklaring i det mycket dåliga materialläget, vilket medför att intresset måste riktas mot alla de förhållanden som kan ge indicier angående bebyggelseutvecklingen. Sockenbildningar och tillkomsten av kyrkor i ett område kan dock på sin höjd ge ett mycket grovt mått på expansion av bebyggelse och befolkning i området, om ens det. Om man emellertid för tillfället bortser från denna reservation: ger då en undersökning av de medeltida kyrkliga förhållandena resultat som stöder gängse uppfattning om den medeltida bebyggelse- och befolkningsutvecklingen i området?

---

3 Genom en systematisk undersökning av Tornedalens namnmaterial har Jouko Vahtola utifrån språkligt baserade iakttagelser kunnat påvisa att Tornedalen till nästan uteslutande del koloniserats österifrån. Se härom J. Vahtola, Paikannimistö Tornionlaakson asutushistorian lähteenä (stencilerad pro gradu-avh, Hist.inst., Uleåborgs Universitet, 1975)

Sockenbildning. De första socknar i området som nämns i en bevarad handling är Umeå och Bygdeå. I en kyrklig uppbördslängd från 1314 förs dessa under Ångermanlands prosteri.[4] En handling från 1339 omnämner en kyrkoherde i Piteå samtidigt som Luleå omtalas som kapell under Piteå.[5] På 1340-talet tycks dock förhållandet mellan Luleå och Piteå vara det motsatta: Luleå är huvudkyrka med underlydande kapell i Piteå och Torneå.[6] I detta sammanhang omtalas vidare Skellefteå som socken med underlydande kapell i Lövånger. Piteå bör dock senast 1408 ha varit egen socken.[7] Från detta år finns bevarat ett donationsbrev, vari bortdoneras ett område att uppföra den nya kyrkan på. I skatteboken av år 1413 framträder de ovan nämnda bygderna som självständiga skattesocknar. Enligt ett brev från 1470-talet är även Kalix vid denna tid självständig socken.[8] I en handling från 1482 omnämns också ett kapell I Särkilax (= Övertorneå).[9] Nästa sockenbildning inträffar först på 1530-talet då Övertorneå blir egen socken för att strax därefter återförenas med Nedertorneå. Under första hälften av 1600-talet äger två sockenbildningar rum i det att Övertorneå 1606 ånyo blir egen socken och Överkalix blir socken 1644.[10]

Genom att Umeå och Bygdeå är de enda av socknarna i området som omnämns i uppbördslängden från 1314 har man antagit, att de också varit de enda socknarna i området.[11] Vidare har man menat, att den kyrkliga administrationens snabba tillväxt i området under 1300-talet tyder på att detta nu på allvar koloniseras och att kolonisationen varit av tämligen stor omfattning. Ett indicium som pekar mot en stor befolkningsökning under

---

[4] DS II 1946 s. 150. Jfr A. Bygdén, Källorna till Piteå sockens äldsta historia (Sthlm 1921) s. 10 samt G. Hafström, Från kultsocken till storkommun. Från bygd och vildmark. Luleå stifts årsbok 1964 (Skellefteå 1965) s. 40ff.

[5] DS IV 3409 s. 646. Jfr A. Nordberg. En gammal norrbottensbygd, I. Anteckningar till Lulea sockens historia (Lund 1928, nyt uppl Luleå 1965) s. 34ff, A. Bygdén, a.a., L. Bygdén. Härnösands stifts herdaminne. Del II (Uppsala, 1925) s. 191.

[6] L. Bygdén, a.a. s.s.

[7] Piteå omnämns dock som socken redan i ett donationsbrev från år 1395 (Rap nr 2753). Om detta brev samt det nedan nämnda från 1408 se A. Bygdén, a.a. s. 15f, 29ff.

[8] Se N. Ahnlund. Jämtlands och Härjedalens historia. Första delen intill 1537 (Sthlm 1948) s. 400. Brevet publicerat hos A. Nordberg, Med ärkebiskopar på visitationsfärd. Luleå stift i ord och bild (Sthlm 1953) s. 100.

[9] Handlingen är det förläningsbrev, varigenom ärkebiskop Jacob Ulfsson den 20/8 1482 i förläning erhåller hela Övre Norrland. Beträffande brevet se A. Bygdén a.a. s. 43f.

[10] För sockenbildningen efter år 1500 se G. Hafström, s.s. s. 43ff.

[11] Se t ex A. Bygdén. a.a. s. 10. A. Nordberg, En gammal norrbottensbygd. I., s. 38; S. I. Olofsson. Övre Norrlands medeltid. Övre Norrlands historia del 1: Tiden till 1600 (Umeå 1962) s. 128.

1400-talet har man sett i att en ny socken — Kalix — tillkommer under denna tid.[12]

Vad beträffar uppbördslängden från 1314 torde man i denna endast kunna utläsa att Umeå och Bygdeå var de nordligaste socknarna som vid denna tid erlade den aktuella skatten. Ingenting motsäger att även andra socknar i området funnits vid denna tid.[13] Med undantag av Kalix och Övertorneå är också samtliga medeltida kyrkliga centra i området belagda före 1350. Slutsatsen om att Kalix som socken tillkommit under 1400-talet grundar sig dels på att området inte omnämns i skatteboken 1413 utan här förmodligen förts under Luleå, dels på att den som socken omnämns först på 1470-talet. Gentemot detta kan hävdas att den aktuella handlingen från 1472 inte har performativ karaktär för Kalix sockenbildning samt att exempel finns från andra delar av Sverige på att socknar, trots delning, i kamerala sammanhang går under det gamla sockennamnet.[14] Antagandet att Kalix inte existerat som socken 1413 är således endast ett e silentio-antagande. Det ligger också en viss inneboende motsättning i de slutsatser man utifrån framväxten av den kyrkliga administrationen dragit beträffande bebyggelse- och befolkningsutvecklingen. Under den relativt blygsamma 1300-talskolonisation som man antagit har sju socknar tillkommit, medan den förment mycket kraftiga 1400-talskolonisationen endast gett upphov till en enda sockenbildning, ehuru inte ens denna säkert kan visas ha ägt rum under den aktuella tiden.

Kyrkobyggnader. Diskussionen kring kyrkobyggnaderna i området har huvudsakligen rört de för medeltida förhållanden mycket imponerande stenkyrkor som finns i Luleå resp Piteå gamla stad. Dessas byggnadsskede har tidigare daterats till slutet av 1400-talet. I dessa kyrkors förekomst har man sett ett indicium på en stark 1400-talskolonisation.[15] Genom denna har det ekonomiska och befolkningsmässiga underlaget skapats för att ersätta

[12] Jfr L. A. Norborg. Rapport til det nordiske historikermøte i Bergen 1964. Sverige. Problemer i nordisk historieforskning (Bergen 1964) s. 68; se t ex N. Ahnlund, Landskap och län i Norrland. En historisk-administrativ översikt. YMER 1942, s. 240 C. G. Andrae, art. Kolonisation i Kulturhistoriskt lexikon för nordisk medeltid (KL) VIII (Malmö 1963); A. Nordberg, Med ärkebiskopar... s. 101ff; A. Schück. Ur Sveriges medeltida befolkningshistoria. Nordisk kultur II (Oslo 1938) s. 138.

[13] Ofta har den åsikten framförts att själva namnet Bygdeå skulle indicera att det var namnet på den sista utposten mot vildmarken. Jfr dock numera G. Widmark. Bottniska vattendragsnamn. Årsboken Västerbotten 1967. Widmark ger där en annan möjlig etymologisering av namnet »Bygdeå» genom att koppla det till ett fornsvenskt (a) bugh=åkrök.

[14] Se L.—O. Larsson. Det medeltida Värend. Studier i det småländska gränslandets historia fram till 1500-talets mitt (Lund 1964) s. 92.

[15] Se A. Bygdén. a.a. s. 36f; A. Nordberg, En gammal norrbottensbygd, I., s. 65; S. I. Olofsson, a.a. s. 224, 226f.

tidigare träkyrkor med dessa stenkyrkor. Häremot kan dock invändas, att det torde vara svårt att fastställa något generellt samband mellan befolkningens antal i ett område och kyrkobyggnadernas storlek i samma område.[16] Inte heller behöver uppförandet av stenkyrkor i stället för träkyrkor tyda på några befolknings- eller bebyggelsemässiga förändringar. Förekomsten av stenkyrkor visar bara att det vid tiden för deras uppförande fanns konjunktur att bygga i sten. De kan möjligtvis ge uttryck för ekonomisk status eller rättare sagt vilja att uttrycka en ekonomisk status. Ehuru ej ens detta samband kan antas vara generellt giltigt. Den senare forskningen kring grundläggandet av Luleå resp Piteå gamla kyrkor har dessutom påvisat att grundläggandet av båda dessa kyrkor kan dateras till 1400-talets början.[17]

Sammanfattning. Redan en ytlig granskning av uppgifterna om den medeltida kyrkliga administrationen i området ger således inget stöd för den gängse uppfattningen om den medeltida bebyggelse- och befolkningsutvecklingen. Generellt kan man naturligtvis inte bortse från att kyrkliga administrativa förhållanden hypotetiskt kan utgöra en av många bebyggelselokaliserande faktorer. I här aktuellt område kan dock en undersökning av de medeltida kyrkliga förhållandena inte användas för att ens med grova mått mäta eventulella förändringar av bebyggelse och befolkning. För detta syfte kan inte heller användas några slutsatser om de medeltida kyrkliga byggnaderna i området.

II:3 Kolonisationsstarten och läget i början av 1300-talet.

Uppfattningen om att området norr om Umeå och Bygdeå vid 1300-talets början till allra övervägande delen saknade bofast befolkning bygger i huvudsak på tolkningar av nedan nämnda skriftliga källor.

Den i tidigare sammanhang citerade kyrkliga uppbördslängden från 1314. Av områdets medeltida socknar omnämns i denna uppbördslängd endast Umeå och Bygdeå, vilka föres till Ångermanlands prosteri.[18] (DS 1946).
Hälsingelagens ledungsbestämmelser, förmodligen från de första åren på 1300-talet.[19] Ledungen från området regleras i följande passus: »I Umeå och Bygdeå och hos alla dem

[16] Se S. Gissel, Forskningsrapport for Danmark. Nasjonale forskningsoversikter. Det Nordiske Ødegårdsprosjekt, Publikasjon nr 1 (Kbhvn 1972).
[17] Se H. Beskow. Bidrag till studiet av Övre Norrlands kyrkor. KVHAAH 79:1 (Sthlm 1952) s. 22f, 26ff; dens., 1400-tal i Öjebyn. Årsboken Norrbotten 1964—65 (Luleå 1964) s. 27ff; dens., Nederluleå kyrka och Luleå gamla stad. Svenska Fornminnesplatser 35 (sthlm 1968) s. 4f.
[18] För uppbördslängden som tecken på att området norr om Bygdeå varit obebyggt vid denna tid se t ex A. Bygdén. a.a. s. 10; S. I. Olofsson, a. a. s. 128.
[19] Gerhard Hafström anser att ledungsbestämmelserna är från 1200-talets slut, se G. Hafström, art. Hälsingelagen i KL (Malmö 1962).

som bo norr därom två blåskurna skinn och ingen annan ledung utan de skola värja sitt land hemma/..../».

(Hälsingelagens konungabalk flock VII; citat efter Holmbäck-Wessén s. 291; jfr Schlyter del 6 s. 23)

1327 reglerar ärkebiskop Olof Björnsson, Hälsingefogden Johan Ingemarsson, hälsingestormannen Nils Farthiegnsson och Peter Unge sina intressen i Luleå älvdal. [20]
(DS 2606)

1328 utfärdas av dåvarande riksdrotsen Knut Jonsson den s.k. Tälje stadga, vilken bl a föreskriver fri bosättning i området samt skattefrihet för de som bosätta sig här. [21]
(DS 2676)

1335 erhåller Nils Abjörnsson Sparre kunglig stadfästelse på det intersseområde i Piteå som han tidigare tilldelats av ärkebiskop Olof.
(DS 31 34)

1340 stadfäster Konung Magnus Eriksson 1328 års stadga samt gör vissa tillägg beträffande skatten i området. [22]

Beträffande uppbördslängden från 1340 har ovan den principiella ståndpunkten intagits att man utifrån denna längd inte kan dra några andra slutsatser utöver den att Umeå och Bygdeå var de nordligaste socknarna som vid detta uppbördstillfälle utgjort den aktuella skatten, korstågstiondet. På tolkningen av uppbördslängden baserade antaganden om att området norr om Bygdeå saknat bebyggelse vid denna tid är e silentio-antaganden om bybyggelse utifrån ett material av primärt kameral karaktär.

Den ovan citerade passusen i Hälsingelagen synes inte otvetydigt ange Umeå och Bygdeå som de nordligaste bygderna. Tvärtom kan på lika goda grunder hävdas att denna passus i själva verket ger upplysning om att i varje fall viss bebyggelse förekom även norr om Bygdeå vid tiden för ledungsbestämmelsernas avfattande. Det kan uppmärksammas att formen för ledungen är en annan för området fr o m Umeå och norrut än för området närmast söder därom, norra Ångermanland. Antar man i enlighet med tidigare forskning att Bygdeå varit den nordligaste bebyggda trakten i området är det att märka att gränsen för en förändrad form för ledungens utgörande inte går mellan bygd och obygd. I stället sammanfaller denna »ledungs-gräns» med

---

[20] Handlingen ingår i avskriftssamlingen Reg. Eccl. Ups. (1340-talet) och har där den tvivelaktiga överskriften: Tenor de tercia parte amnium et terrarum inter scaeldapth et ulu. Om tolkningen av brevet se A. Bygdén, a.a. s. 10; A. Schück. a.a. s. 137; S. I. Olofsson, a.a. s. 143f; A. Nordberg, a.a. s. 25f.

[21] Handlingen ej bevarad i original utan återgiven efter en vidimation år 1377 utgiven av konung Albrekt. Se för övrig kommentaren i utgåvan av Diplomatarium Suecanum (DS) IV i anslutning till ovannämnda brev.

[22] Handlingen ej bevarad i original utan endast i form av en sen 1500-tals avskrift. Angående tolkningen se A. Bygdén. a.a. s.s.; A. Schück, s. 138; S. I. Olofsson a.a. s. 152;A. Nordberg, a.a. s.s.

den senare under medeltiden kända administrativa gränsen mellan norra Ångermanland och området fr o m Umeå och norrut.[23] Hälsingelagens ledungsbestämmelser tycks tyda på att detta senare område redan vid dessa bestämmelsers tillkomst uppfattats som en enhet ur administrativ synpunkt. Av de två här ovan diskuterade källorna synes sålunda ingen av dem ge oförmedlade upplysningar om på vilket stadium bebyggelsen norr om Bygdeå befunnit sig i vid tiden för dessa källors tillkomst. Möjligen kan man av dessa källor dra slutsatsen att Umeå och Bygdeå vid denna tid var gamla kända bygder medan kunskapen om området norr därom var mer sparsam. Detta innebär ju givetvis inte att detta område också behöver vara obebyggt.

I 1327, 1335 och 1340 års brev finns formuleringar som kan tyda på att en kolonisation av området nyligen startats under ledning av ärkebiskop Olof.[24] Enligt 1335 års brev har ärkebiskopen härvid haft statlig fullmakt att till enskilda personer fördela intresseområden för främjande av kolonisationen. Den 1328 stadgade skattefriheten har antagits tyda på att staten, i detta fall representerad av förmyndarregeringen, velat skapa gynnsamma villkor för den nyligen påbörjade kolonisationen. Å andra sidan har man tolkat 1327 års brev och 1335 års brev så att det av dessa skulle framgå att de av dem berörda stormännen förutom fisket i älvarna även erhållit stora jordområden vid de aktuella donationerna. Dessa jordområden skulle de sedan ha upplåtit till de första nybyggarna att uppodla. I sin tur skulle detta förhållande utgöra ett indirekt bevis för att området dessförinnan varit obebyggt. Slutligen har ytterligare stöd för den ovan refererade uppfattningen tagits i ett numera förkommet brev, vars innehåll refereras i samband med utfärdandet av Tälje stadga samt i 1327 års brev. Enligt dessa har det förkomna brevet innehållit bestämmelser angående upplåtandet av området mellan Skellefteå och Ule älvar till odling och bebyggelse.

Invändningarna mot det ovan refererade resonemanget blir huvudsakligen av två slag:

Tillåter det material som kommit till användning slutsatser om bebyggelse och befolkning?

Är de gjorda tolkningarna av brevens innehåll alternativlösa?

Beträffande det närmast ovan nämnda förkomna brevet måste det poängteras att kunskapen om detta är mycket begränsad. Det är okänt när

---

23 Denna gräns kan konstateras i varje fall på 1380-talet då området innefattades i Korsholms län. Se N. Ahnlund. a.a., YMER 1942, s. 241.
24 För tolkningar i denna riktning se under not 20 anförd litteratur samt därutöver A. Bygdén, s.s. s. 11f.

153

och av vem det har utfärdats (»kung Birger»?). Som ovan nämnts är innehållet i brevet endast känt genom att det refereras i två andra 1300-talsbrev. Det mest utförliga av dessa återfinns i 1327 års brev[25] och häri ges endast upplysning om att man från statligt håll funnit det påkallat att utfärda stadganden rörande bosättningen och bebyggandet av området. Inte heller i övrigt i 1327 och 1328 års brev finns det något som tyder på att området skulle ha varit obebyggt vid tidpunkten för dessa brevs avfattande. De aktuella stormännens uppdelning av Luleå älvdal har antagits tyda på att uppdelningen gällde jungfrulig mark.[26] På lika goda grunder har det dock antagits att stormännens förfarande avspeglar dessas nonchalans mot i området redan existerande bebyggare.[27] Det kan också ifrågasättas om det överhuvud taget förekommit uppdelning av något större jordområde. Det torde således vara svårt att med ledning av innehållet i 1327 års brev få kunskap om huruvida området vid denna tid varit bebyggt eller ej.

I 1335 års brev finns dock en uppgift som kan tolkas i riktning mot att området tidigare varit obebott och obebyggt (»deserta loca»). Nils Abjörnsson sägs i detta brev beträffande Piteå-trakten ha svarat för stora kostnader i samband med uppförandet av bostäder, ditförandet av familjer och övriga åtgärder till fromma för kolonisationens fortskridande. Dessa uppgifter kan uppenbart tyda på att området tidigare varit obebyggt och nu först får sina första inbyggare. Det är emellertid ovisst hur stort område som avses med brevets »loca». Skulle detta i enlighet med tidigare forskning tolkas som ett större område kring Piteå-älvens nedre lopp kommer denna tolkning i konflikt med de som nåtts vid de arkeologiska utgrävningarna i Kyrkbyn, vilka öppnar nya perspektiv vid bedömningen av 1300-talsutvecklingen i åtminstone Pite älvdal.

I 1340 års brev finns slutligen en formulering som också den direkt skulle kunna tyda på att det i brevet berörda området nyligen kommit under odling. I samband med omtalandet av ärkebiskop Olofs kolonisationsarbete nämns att området »i fordom tidom icke haffua waritt i mång Menniskiors minnom». Formuleringen erinrar dock starkt om de i diplomen vanliga minnesformuleringarna och härigenom behöver inte ett faktiskt förhållande beskrivas.[28] Det måste också beträffande detta brev påpekas att det inte bevarats i original utan endast i form av en sen avskrift från 1500-talet. Denna ingår i en samling av »Utcopier aff Någre gamble Breff om Bircherlars Rettighet i

---

[25] DS 2606
[26] Se N. Ahnlund, Bottniska problem, Svenska Dagbladet 2/8 1926.
[27] Se A. Nordberg, a.a. s. 38.
[28] Se Å. Ljungfors, Bidrag till svensk diplomatik före 1350 (Lund 1955) s. 105ff.

Lapmarken» vilken finns bland »Handlingerne rörande Tvisten om Finnmarken vid Westerhafvet i K. Johan III:s och K. Carl IX:s tid». Språket i avskriften antyder att det rör sig om en sen översättning.[29] Brevet är således inte oomtvistligt äkta. Den möjligheten får inte uteslutas att detta brev i bevarad form snarare avspeglar den svenska kronans intresse att på 1500-talet hävda regalrättsliga principer än det avspeglar faktiska förhållanden under 1340-talet.

Sammanfattning. Den tidigare forskningens uppfattning om bebyggelsens status vid början av 1300-talet har huvudsakligen grundats på tolkningar av några få skriftliga källor. Säkerheten i denna uppfattning har ovan ifrågasatts och i vissa fall har alternativa tolkningar av källmaterialet aktualiserats. Det här granskade källmaterialet innehåller inte några upplysningar som utesluter möjligheten av att området varit bebyggt redan vid början av 1300 talet.

II:4 Donationsproblematiken.

Inom tidigare forskning har man menat att det av 1327 års och 1334 års brev framgår att de i dessa nämnda personerna erhållit såväl fiske som betydande jordområden i Luleå resp Piteå älvdal.[30] Det framgår klart av breven att de berörda personerna fått besittningsrätt till hela eller delar av fisket i resp älvdal, medan det är mera osäkert om de aktuella donationerna även innefattat jordområden.

I 1327 års brev anges att ärkebiskopens och hans efterträdares andel i donationen för evärderliga tider (»in posterum possidere») skall vara »unam terciam partem». Det utsägs dock inte av vad denna tredjedel skall beräknas. Inom tidigare översättningar har man utfyllt denna lucka med ett tillägg: »av hela det förenämnda området», vilken i sig saknar direkt motsvarighet i brevets latinska text. Den nämnda tolkningen kan således knappast sägas vara förutsättningslös. De aktuella donationerna anges i 1327 års resp 1335 års brev med följande formuleringar: »ampnem dictum lule cum omnibus adiacenciis», resp för Piteås del »ampnem dictum pitu/../ aliisque pertinenciis suis omnibus/../predictum amnem cum suis adiacenciis/../». Dessa textställen har tolkats på följande sätt: »den flod som kallas Lule med hela omnejden» resp »en älv vid namn Pite/../samt alla andra dithörande områden/../ förenämnda älv jämte alla dess omgivningar». Som framgår av

---

[29] För upplysningar kring detta brev s DS IV s. 700 not.
[30] För denna uppfattning se under not 20 anförd litteratur.

det refererade har »adiacenciis» resp »pertinenciis» översatts med »omnejd/ omgivning» resp »område». Härigenom ges onekligen det intrycket att donationerna även omfattat stora jordområden. Riktigheten i denna översättning kan dock diskuteras. Såväl »adiacenciis» som »pertinenciis» har grundbetydelsen »tillägor, kringliggande marker, angränsande område»[31] och i såväl 1327 års som 1335 års brev finns ett preciserande tillägg på svenska om vad som avses: dictis tillidhum. Brevens text kanske således snarare ger intrycket av att de aktuella donationerna huvudsakligen omfattat fisket i älven och beträffande jorden inskränkt sig till den i omedelbar närhet till älven belägna och mot denna sluttande älvstranden (=tillider). Denna uppfattning styrkes av senare material där de aktuella donationerna omnämns.

När två av de i 1327 års brev berörda personerna, ärkebiskop Olof och Johan Ingemarsson i ett brev från 1331 omnämner sina intressen i Luleåtrakten nämns endast deras andelar av fisket. Detta sägs skola vara uppdelat såsom tidigare (sicut hactenus).[32]

Beträffande Nils Abjörnssons egendom i Piteå-trakten finns det något större möjligheter att följa denna i materialet. Genom testamenteringar, byten och donationer kom den att byta ägare flera gånger under 1300- och 1400-talet.[33] Inte något av de brev som bevarats från dessa ägobyten ger intrycket av att den ursprungliga donationen skulle ha omfattat några betydande jordområden. Tvärtom omtalas i dessa brev endast fisket.

Sammanfattning. Här har den uppfattningen framförts att de statliga donationerna av egendom inom området vid 1300-talets början till allra övervägande delen omfattat besittningsrätten till fisket i resp älv. Tidigare forskning har huvudsakligen använt sig av de ovan refererade breven, men inte något av dem innehåller några egentliga direkta upplysningar om att donationerna även omfattat jord, annat än vad beträffar själva älvstranden, vars besittningsrätt den måste inneha som skulle bedriva fiske i älven.

---

[31] A. Hammarström, Glossarium till Sveriges och Finlands medeltidsdiplom. Se respektive uppslagsord. Beträffande »adiacentia» jfr U. Westerbergh. Glossarium till medeltidslatinet i Sverige. Vol. 1, Fasc. 1 (Sthlm 1968).

[32] Tidigare forskning har antagit att de aktuella stormännen strax efter 1327 avstått från donationen med undantag av fisket som de behållit. Se t ex A. Nordberg, a.a. s. 40. För brevet se DS 2850.

1327 års brev är inte heller i sig något donationsbrev. Den i brevet aktuella donationen har erhållits tidigare. Av någon hittills okänd anledning har de berörda parterna just nu, året innan Tälje stadga, ansett det påkallat att ånyo fastslå den delning av området som de sinsemellan redan gjort tidigare.

[33] Se t ex A. Bygdén, a.a. s. 14ff.

Denna uppfattning måste givetvis påverka bedömningen av de enskilda stormännens betydelse för kolonisationsförloppet samt bilden av dettas kronologi.

II:5 Statliga och enskilda kolonisationsinitiativ

Det statliga intresset för en bosättning i området kan utifrån det källmaterial som bevarats tidigast skönjas på 1320-talet, strax efter Nöteborgsfredens tillkomst. Detta intresse avspeglas bl a i de stadganden om skattefrihet och fri bosättning i området som återfinns i 1328 års resp 1340 års brev. Av här ovan refererat material synes det som om ärkebiskopen och andra i kolonisationsverksamheten inblandade stormän ytterst och formellt handlat utifrån statliga legat. Utfärdandet av Tälje stadga år 1328 måste ha påverkat i gynnsam riktning viljan att bosätta sig här uppe i norr. I denna stadga föreskrivs skattefrihet för de som bosätta sig inom området samt att detta »utan hinder eller störning från någon person skall bebos samt odlas».[34] Stadgan har av riksdrotsen Knut Jonsson utfärdats i förmyndarregeringens namn och den har av tidigare forskning antagits tyda på att förmyndarregeringen ställt sig bakom ärkebiskop Olof och hans kompanjoners kolonisationsföretag i norr. De skall dock understrykas att skattefriheten uppges gälla endast tills dess att konungen blivit myndig. 1328 års stadganden kan således lika gärna ses som interimsstadgangen genom vilka förmyndarregeringen inte band staten för en framtida skatte- och donationspolitik i området. 1340 upphävs också denna skattefrihet samtidigt som det dock föreskrivs med skärpa att ingen annan än kronan fick uppbära skatt av de som bosatt sig här. Det växande statliga intresset för området och Nöteborgsfredens tillkomst har av en del forskare satts i samband med varandra. Man har menat att det statliga intresset dikterats av en önskan att genom en snabb kolonisation av området kunna hävda besittningsrätt över detsamma utifrån statsrättsliga principer. Detta måste naturligtvis ses mot bakgrund av Nöteborgsfredens osäkra gränsangivelser. Sambandet har dock ifrågasatts av andra forskare och något annat samband än det tidsmässiga kan inte heller konstateras mellan de båda företeelserna. Däremot kan man konstatera att staten nu finner anledning att hävda sin besittningsrätt över området.

De brev som ovan omnämnts innehåller uttryckliga referenser till enskilda stormäns betydelse för bebyggandet av området. Huvudsakligen har dessa

---

[34] Det latinska brevet översatt bl a hos B. Steckzén, Birkarlar och lappar. En studie i birkarleväsendets, lappbefolkningens och skinnhandelns historia (Lund 1964) s. 275f.

brev ärkebiskop Olof som centralfigur. Denne framställs som huvudman inom kolonisationsverksamheten. Likaledes finns det antydningar om att de stormän som nämns parallellt med ärkebiskopen även de ivrat för kolonisationens start och fortsatta utveckling. Man kan ifrågasätta vad dessa uppgifter egentligen belyser. Även om de här aktuella personernas initiativ av samtiden uppfattats som betydelsefulla för bebyggelsens utveckling och lokalisering behöver detta naturligtvis inte innebära att så varit fallet. Det är också självfallet svårt för att inte säga omöjligt att avgöra vilka motiv som legat bakom ärkebiskopens och andra stormäns intresse för området. Oavsett hur man i övrigt tolkar 1327 års brev förtjänar det att uppmärksammas att uppgifterna i detta egentligen härstammar från de i brevet berörda personerna. Dessa har naturligtvis haft alla skäl att vid erhållande av donationen framställa sig som tillskyndare av bosättning och bebyggelse i området. Givetvis behöver detta inte betyda att de vidtagit faktiska åtgärder för att gynna kolonisationen. I sammanhanget kan påpekas att några av de i 1327 års brev nämnda personerna även i en del andra godstransaktioner förekommer vid sidan av varandra.

Ärkebiskopen och Uppsala domkyrka har i början av 1324 av en privat man erhållit en gård i Umeå-trakten.[35] När denna överlåtelse vidimeras senare samma år återfinns bland vittnesmännen just Nils Farthiegnsson och Johan Ingemarsson, två av de i 1327 års brev berörda personerna. Samma år donerar Johan Ingemarsson till ärkebiskop Olof sin andel av fisket i Indalsälven.[36] Den 7 mars 1331 förhandlar ärkebiskop Olof å egna och Johan Ingemarssons vägnar om ett fiske i Fors (Jämtland).[37] Senare samma år uppdelar så Johan Ingemarsson och ärkebiskop Olof den egendom de tidigare haft gemensamt.[38]

De här aktuella personerna synes alltså ha haft intressegemenskap i flera delar i Norrland. Huruvida deras intresse för t ex Luleå älvdal dikterats av allmän omsorg om kolonisationens fortskridande eller egna intressen av att exploatera fisket i älven torde vara omöjligt att avgöra.

Det synes alltså svårt att utifrån bevarat skriftligt material avgöra vilken betydelse de enskilda stormannainitiativen haft för kolonisationen. Under alla förhållanden måste dock stormannainitiativen betraktas som situationella faktorer och det kan ifrågasättas som inte dessas betydelse för bebyggelsens lokalisering och utveckling överbetonats inom tidigare forskning.

[35] D S 2445, vidimeringen DS 2680.
[36] DS 2471
[37] DS 2835
[38] DS 2850

II:6 Sammanfattning

Man har inom tidigare forskning ansett att kolonisationen av Övre Norrland börjar i och med ingången av 1300-talet, vid vilken tid området norr om Umeå och Bygdeå praktiskt taget saknat fast bebyggelse. Mer eller mindre direkt har det antagits att staten och/eller enskilda stormän initierat denna kolonisation, vars fortskridande man tyckt sig kunna avläsa i den kyrkliga administrationens framväxt. Denna uppfattning har ovan kritiskt granskats, varvid alternativa tolkningar av det aktuella källmaterialet har presenterats. Detta har lett fram till slutsatsen att det redan vid ingången av 1300-talet mycket väl kan ha funnits fast bosättning och bygd i området norr om Bygdeå och upp till och med Tornedalen. Hur står då detta antagande i förhållande till uppfattningen om 1400-talsutvecklingen?

III Bebyggelseutvecklingen under 1400-talet

Av det medeltida källmaterialet är det endast Erik av Pommerns så kallade skattebok som innehåller uppgifter om antalet kamerala enheter i området, varför också forskningens intresse i hög grad riktats mot skatteboken, vilken bär dateringen 1413. [39] Med hjälp av de uppgifter den förmedlar har man menat sig få en uppfattning om befolkningens numerär och bybyggelsens storlek vid 1400-talets början. Det låga befolkningstal och den föga utbredda bygd man härvid menat sig konstatera står i skarp kontrast till de höga befolkningssiffror och över området väl utspridda bebyggelse som 1540-talsmaterialet ger upplysning om. Härav har man dragit slutsatsen, att befolkningen ökat markant (sexdubbling) under 1400-talet, och att bebyggelsen i motsvarande grad expanderat. Detta gäller såväl i syntetiskt upplagda arbeten av rikshistorisk karaktär som i mer lokalhistoriskt inriktade framställningar.

Stundom har man på basis av uppgifter om de s k Olaigärden vid 1500-talets början räknat fram folkmängden vid denna tidpunkt. Dessa folkmängdssiffror har jämförts med den folkmängd som man får fram utifrån en analys av 1540-talsmaterialet. Därigenom har man menat sig få en bild av utvecklingen under första hälften av 1500-talet.

---

[39] Nedanstående framställning kring bebyggelseutvecklingen under 1400-talet bygger i allt väsentligt på H. Sundström. Bebyggelseutvecklingen i Övre Norrland under senmedeltiden. Kritiska synpunkter på källor och metoder (Scandia nr. 2—40/1974). För utförligare information om aktuellt källmaterial, tidigare forskning samt relevant litteratur, se detta arbete.

Hållbarheten av dessa slutsatser är beroende av bl a de olika kamerala materialens jämförbarhet och — sammanhängande härmed — om realiteten bakom de kamerala termerna är kända. Dessa frågor skall diskuteras nedan, varvid först dessa materials jämförbarhet skall diskuteras utifrån mer principiella ståndpunkter. Detta nödvändiggör att materialet presenteras relativt utförligt.

III:1 Presentation av källmaterialet

Skatteboken 1413 har endast bevarats i form av 1600-talsexcerpter ur en kopia,[40] som enligt uppgift förfärdigats på 1540-talet genom Gustav Vasas omsorg. Såväl original som kopia är sedan länge försvunna. Excerpterna ger dessvärre ett intryck av att vara starkt korrupta men är icke desto mindre huvudkällan för vår kunskap om vad som en gång stått i avskriften och därmed väl också i originalet av skatteboken 1413. Bland de olika uppgifterna i excerpterna är det framför allt en länsuppräkning som är intressant i detta sammanhang. Den innehåller nämligen uppgifter om antalet skatteenheter i olika delar av Sverige. För en del län finns även skattesumman angiven liksom stundtals även skattesatsen per enhet. Typen av skatteenhet är inte enhetlig utan kan variera från län till län. Samtidigt kan olika typer av skatteenheter förekomma parallellt i samma län. Dessa kan vara t ex gärder, sämjemän, läjemän, landbor, krokar, rökar osv. För det här aktuella området förtecknas bara en typ av skatteenhet — rök. Gemensamt för dessa uppgifter är att tolkningen av deras faktiska innebörd är långt ifrån säker. Konstaterandet kan i själva verket vidgas till att omfatta skatteboken som helhet. Skattebokens dubiösa karaktär har givetvis konstaterats av tidigare forskning. Försök har gjorts att med hjälp av excerpterna rekonstruera skattebokens ursprungliga form och innehåll. Därmed torde en del klarhet ha nåtts om skattebokens ursprungliga utseende. Stor osäkerhet bidlåter dock fortfarande den kamerala betydelsen av siffermaterialet. Man har bl a kunnat konstatera, att rena felräkningar förekommer. Det är också oklart huruvida skatteboken omfattat hela Sverige eller endast delar därav. Vidare har man diskuterat, om den varit en längd över faktisk uppbörd eller ett överslag över förväntade

---

40 Det utförligaste av dessa utdrag, verkställt av Johannes Bureus, har i så gott som fullständigt skick publicerats dels i Bidrag till Finlands historia I, utg. av. R. Hausen (H-fors 1881), dels i Nyare bidrag till kännedom om de svenska landsmålen och svenskt folklif. Bih. I:2, utg. av G. Klemming (Sthlm 1886). I facsimil har de publicerats i O. Bjurling, Das Steuerbuch König Eriks XIII (Lund 1962).

inkomster. Sistnämnda diskussion bedöms dock vara av underordnad betydelse för den problematik som primärt är aktuell i föreliggande framställning och skall därför inte närmare beröras. Vad som emellertid mot bakgrund av ovan relaterade käll- och traderingsförhållandena med all tydlighet framgår är, vilka komplicerade källkritiska problem som är förenade med detta materials användning.

1540-talets jordeböcker av statlig proveniens är i förhållande till skatteboksexcerpterna ett material av helt annan natur. De är lämningar efter den skattläggningsoffensiv, som Gustav Vasa inledde i slutet av 1530-talet med därmed förenade reformer för skattens erläggande. Härigenom upphävdes medeltida stadge- och sämjeuppgörelser och jorde- bokföringen skärptes. Inte minst i Norrland fick den nya skattläggningen genomgripande verkningar. En förhållandevis avancerad jordmätning lades nu till grund för skatternas erläggande, varvid den enskildes skatteförmåga noggrant kunde beräknas. Jordeboken av år 1543 är det äldsta bevarade materialet för Västerbotten från denna skattläggning. I denna jordebok anges nominati byavis med specifierad förmåga att utgöra skatt från de olika ägoslagen.[41]

Ola igärdsuppgifterna. Från 1500-talets första år finns bevarade uppgifter om beloppet å den Olaigärd, som utgick från de olika socknarna i området.[42] Denna skatt har medeltida anor, och uppgifter finns om att den under medeltiden utgått från området. Det är dock osäkert, hur stor region som de medeltida uppgifterna avser. Från början av 1500-talet är dock uppgifterna mer specifierade. För de dåvarande socknarna i området är nu beloppen angivna för resp socken. Ett undantag härifrån utgör Kalix, Luleå och Piteå, som sammanförts under ett gemensamt belopp.

Sammanfattning. Den materialbeskrivning som ovan gjorts bör klart ha visat att skatteboksexcerpterna respektive jordeboken från 1540-talet är källmaterial med helt olika karaktärer. Det förra materialet har ej bevarats i original utan endast i form av utdrag ur en avskrift. Det senare materialet däremot är en direkt lämning, vars tillkomstsituation man är relativt välunderrättad om, något man definitivt inte är beträffande

[41] Jordeboken 1543 har publicerat av J. Nordlander I Norrländska samlingar 6 (Uppsala 1905) ss 274—298.
[42] För nedanstående redogörelse av Olaigärden samt där anförda siffror, se A. Bygdén a.a. s. 35f.

4

tillkomstmiljön för vare sig skatteboksoriginalet eller avskriften. Man torde således med skäl kunna resa frågan, om det är samma typ av fenomen eller samma utsnitt av verkligheten som återspeglas i de olika materialen. Å ena sidan har vi alltså ett källmaterial som är mycket osäkert och därför svårtolkat samt avspeglar medeltida skatteförhållanden. Å andra sidan har vi ett källmaterial, som till sitt syfte hade att upphäva just de medeltida skatteförhållandena och som innebar en nyhet i fiskaliska sammanhang med åtföljande noggrannare kontroll av antalet skattedragare. I jordeboken 1543 anges dessa i nominatiform, medan uppgifterna i skatteboksmaterialet utgöres av till synes avrundade (hela tiotal) uppgifter sockenvis om antalet rökar i området. Att hysa betänkligheter inför dessa materials kommensurabilitet torde inte kunna ses som utslag av någon onödig källkritisk purism. Detta material är i varje fall dåligt ägnat att ge upplysning om befolkningens och bebyggelsens förändringar mellan tidpunkterna för materialens tillkomst.

Ånyo måste å andra sidan erinras om att det undersökta området är mycket källfattigt beträffande medeltiden. Detta förklarar att man inom tidigare forskning använt det aktuella medeltida materialet, trots att man i vissa fall varit medveten om en del av de brister som vidlåter detta material. Mot tidigare forskningsresultat kan alltså invändningar resas redan utifrån principiellt källkritiska ståndpunkter. Man bör dock inte stanna härmed. Tvärtom måste man också ställa frågan huruvida forskningsresultaten i övrigt är odiskutabla. Intresset skall här koncentreras mot den tidigare forskningens tolkning av speciella, i sammanhanget relevanta, uppgifter ur skatteboken.

III:2 Rök-begreppets betydelse i skatteboken 1413

De så kallade rökar som i skatteboken finns uppförda för området har, som ovan konstaterats, jämförts med mantalsuppgifterna i 1543 års jordebok.[43]

---

[43] För i nedanstående framställning förekommande hänvisningar till skatteboksexcerpterna, se Burei Sumlen, ed. Hausen ss. 301—310. Jfr ovan not 40.

Rökar 1413   Mantal 1543

	Rökar 1413	Mantal 1543
Torneå	30	287
Luleå-Kalix	120	592
Piteå	30	274
Skellefteå	60	369
Lövånger	20	148
Bygdeå	40	225
Umeå [44]		
	300	1.895

Rök har härvid getts en liknande definition som mantalet, varför jämförelsen indikerat en betydande befolkningsökning i området mellan de båda tidpunkterna. En primär förutsättning för riktigheten av det resultat man härvid kommit fram till är att rök-begreppet är analogt med det aktuella mantalsbegreppet. Definitionen av mantal är i just detta fall relativt oproblematisk och kan för denna tid i detta område sägas vara liktydigt med skattlagt jordbrukshushåll. Rör-begreppet är dock betydligt mer problematiskt. Definitionen av rök som liktydigt med hushåll har trots detta med få undantag inte ifrågasatts av tidigare forskning. Lars-Arne Norborg och på senare tid Ingvar Jonsson har dock båda riktat kritik mot en sådan tolkning av rök-begreppet, varvid den förre dock gjort det i mer allmänna termer.[45] Jonsson däremot har ifrågasatt rök-begreppet inom ramen för en kameral modellanalys och även fört fram tanken att röktalen i skatteboken 1413 grundat sig på en jordbeskattning. Här nedan skall dock argumenteringen föras utifrån något andra utgångspunkter.

För att ompröva den tidigare länge förhärskande tolkningen av rök-begreppet är det i själva verket inte nödvändigt att gå utanför skatteboksexcerpterna. Forskningen har hittills inte uppmärksammat det faktum, att dessa i sig innehåller uppgifter som aktualiserar en annan tolkning av rök än den tidigare gängse. För ett av de finska länen, Satakunta, är nämligen bråkdelar av rök förtecknade (837 1/2 rök).

---

[44] Umeås röktal framgår inte av skatteboksexcerpterna.
[45] L.—A. Norborg. a.a. s. 67ff; I. Jonsson, Jordskatt och kameral organisation I Norrland under äldre tid (Umeå 1971) ss. 292—307. Utöver dessa har H. Svensson i sin uppsats »Kolonisationen av Piteå-bygden», Årsboken Norrbotten 1961, ifrågasatt den tidigare uppfattningen om rök, tyvärr på något oklara grunder.

Denna uppgift ensam motsäger tolkningen av rök i skatteboken som liktydigt med faktiskt hushåll. Snarare antydes genom denna uppgift, att rök haft en viss kvalificerad kameral innebörd.[46] Antagandet styrkes, om man jämför med andra i skatteboken förekommande kamerala enheten.

I skatteboken förekommer rök som enda kamerala enhet i det norrländska undersökningsområdet men som en av flera i vissa finska områden. I t ex Åbo län och Satakunta förekommer rök parallellt med krok. Redan i skatteboken 1413 är krok uppdelad i så små bråkdelar som 1/6 (Åbo län: 354 1/6 krok; Tavastehus: 555 3/4 krok). Jämför man nu den skatt som i Åbo län och Satakunta utgick från en rök resp en krok, visar det sig, att skatten från en rök är c:a 25 % högre än skatten från krok. Om det förutsättes att skattesatsens storlek någorlunda avspeglar den kamerala enhetens storlek, när skattenormerna är uppställda samtidigt, måste rök 1413 ha varit en sörre kameral enhet än krok. Röks storlek i förhållande till krokens, samt inte minst förekomsten av bråkdelar av rök tyder på att rök i skatteboken 1413 varit en kameral enhet, som bestått av flera skattedragare och därmed också rimligen av flera hemmanshushåll.

Mot det resonemang som ovan förts kring rök-begreppet kan möjligen den invändningen riktas, att det i första hand rör de finska områden där rök förekommer i skatteboken. Det förefaller emellertid troligt, att någon större betydelseskillnad inte föreligger för en kameral term, som förekommer på olika ställen i en och samma kamerala handling. Skattesatsen per rök 1413 är också ungefär lika stor — den ligger mellan 4—5 mark — i alla de olika områden där rökbeskattning enligt skatteboken förekom. 1413 utgjorde vidare undersökningsområdet tillsammans med det finska Österbotten Korsholms län. Det fanns således vid denna tid inte någon administrativ gränslinje mellan undersökningsområdet och det område som utgör nuvarande Finland. Som kameral enhet bör därför rök 1413 ha haft ungefär samma storlek och betydelse genomgående där den förekommer i skatteboken.

Sammanfattning. Det kan således konstateras, att i skatteboksuppgifterna ges det inte något stöd för uppfattningen, att rökbegreppet i dessa

---

[46] För en översikt av förhållandena kring enheterna **rök** och krok i Finland under medeltiden se numera E. Orrman, Om enheterna rök och krok i Finland under medeltiden (Historisk Tidskrift för Finland 1977:4) Jfr H. Sundström, a.a. (Scandia 2/1974). Se även i dessa arbeten anförd litteratur.

skulle vara liktydigt med ett faktiskt hushåll. Tvärtom visar de ovan gjorda iakttagelserna, att rök i skatteboken varit en kameral enhet bestående av flera skattedragare dvs rimligen flera hemmanshushåll. Detta får givetvis konsekvenser för alla resultat, som grundar sig på den felaktiga definitionen av rök som liktydigt med hushåll. Med andra ord innebär det, att man inte på röktalsangivelserna i skatteboken kan grunda de slutsatser, som man mestadels inom tidigare forskning dragit rörande befolkningens numerär och bebyggelsens utbredning i bl a Tornedalen vid 1400-talets början.

III:3 Olaigärdsuppgifterna som bebyggelsehistoriskt källmaterial

Utifrån Olaigärdsuppgifterna har man inom tidigare forskning beräknat hushållens antal vid 1500-talets början i norra Sverige—Torneå, Kalix, Luleå och Piteå socknar.

Man har härvid utgått från uppgiften att Olaigärden 1509 utgjorde 5 mark (960 penningar) för Torneå samt 17 mark (3.264 penningar) för Kalix, Luleå och Piteå tillsammans. Uppgiften om storleken på det belopp, varmed varje hushåll bidrog till Olaigärden har hämtats ur ett Gustav Vasas brev den 10 juni 1548 till bl a innevånarna i norra Sverige. I detta brev uppges det med konungens karakteristiska formuleringar, att det sedan lång tid tillbaka varit sedvänja, att menige man överallt i Norrland erlade en liten hjälpskatt som kallades Sankt Olavs penning, och den hade varit fyra penningar.[47]

Genom en enkel division har man sedan fått fram hushållens antal 1509 och jämfört dessa med mantalsuppgifterna i 1543 års jordebok. Befolknings-utvecklingen ter sig då på följande sätt:

	1509	1543	Befolkningsökning i proc.
Torneå	240	286	20 %
Kalix, Luleå, Piteå	816	866	6 %

Några invändningar kan dock resas mot detta förfaringssätt. Ovan refererade jämförelser gäller enbart de nordligaste socknarna i norra Sverige. Gör man emellertid samma beräkning för de något sydligare socknarna, kommer man till resultat, som pekar på en befolkningsökning i detta område, som får anses som orimlig. På de knappa 35 år det gäller, skulle befolkningen i en socken (Skellefteå) ha fördubblats, i en annan (Lövånger) ha femdubblats. Detta förbryllande resultat har också uppmärksammats av tidigare forskning. Man har därvid dragit slutsatsen, att Olaigärden 1509 i

---

47 Konung Gustaf den förstes registratur. Del 10 (Sthlm 1901) s. 277f.

områdets södra de varit av mer frivillig natur eller utgått med lägre helopp per hushåll än fyra penningar.

Det måste dock i sammanhanget understrykas, att det inte finns någonting som tyder på att siffrorna för områdets nordliga del är tillförlitligare. Olaigärdens belopp från t ex Torneå varierar också kraftigt från år till år. Åren 1509 och även 1503 utgick Olaigärden visserligen med 5 mark från Torneå. Åren 1505 och 1506 är dock beloppen från samma socken 6 mark och år 1508 endast 3 1/2 mark. Skillnaden i Olaigärdens belopp mellan t ex 1508 (3 1/2 mark) och 1509 (5 mark) avspeglar självfallet inte alls någon motsvarande befolkningsförändring under det mellanliggande året. Det synes således vara befogat att hysa samma betänkligheter inför siffrorna från områdets nordliga del som inför dem från områdets södra del. Härtill kommer att uppgiften om skattens storlek per hushåll (brevet 1548) inte är samtida med uppgiften om dess totala belopp (t ex 1509). De kan inte tas för givet, att Gustav Vasas utsaga härvidlag återspeglar ett faktiskt förhållande, i synnerhet inte när den förekommer i ett fiskaliskt sammanhang.

Man kan alltså ifrågasätta om man överhuvud taget vet, med vilket belopp per hushåll som Olaigärden erlades i början av 1500-talet. Det osäkra material som Olaigärdsuppgifterna utgör kan mot denna bakgrund knappast användas för att dra några slutsatser rörande befolkningens numerär. En jämförelse med jordeboksmaterialet från 1540-talet ger således inte någon upplysning om befolkningsutvecklingen i området under första hälften av 1500-talet.

III:4 Sammanfattning

Bebyggelse- och befolkningsutvecklingen i det här aktuella området har inom tidigare forskning mestadels uppfattats som synnerligen expansiv under senmedeltiden. Man har antagit, att befolkningen under 1400-talet nära nog sexdubblats. Denna uppfattning har till övervägande delen baserats på en jämförelse av antalet kamerala enheter i skatteboken 1413 och i jordeboken 1543. Vidare har man på basis av det uppbördsmaterial som utgöres av Olaigärdsuppgifterna från år 1509 framräknat folkmängdssiffror, vilka jämförts med mantalsuppgifterna 1543. Härigenom har man funnit stöd för antagandet om att en befolkningsökning ägt rum under första hälften av 1500-talet. Metoden har alltså varit att jämföra kameralt material från olika tidpunkter för att få kunskap om bebyggelse- och befolkningsutveckling.

Här ovan har den uppfattningen framförts, att denna metod ej är tillämplig på det material från detta område som härrör sig från tiden före det statliga jordeboksmaterialets tillkomst. Principiella betänkligheter har här uttryckts inför det tidigare materialets jämförbarhet med detta senare material. Framför allt har invändningar riktats mot den tidigare forskningens tolkning av skatteboksuppgifterna 1413.

Med få undantag har man inom tidigare forskning menat, att det antal rökar som enligt skatteboken 1413 finns i området varit liktydigt med antalet hushåll vid denna tidpunkt. I ovanstående framställning har däremot en källkritisk analys av själva skatteboksuppgifterna visat, att en tolkning av rök som liktydigt med hushåll direkt motsäges av skattebokens egna uppgifter.

Rök i skatteboken 1413 har varit en kameral enhet med kvalificerad betydelse och har rimligtvis bestått av flera hemmanshushåll. Då definitionen av rök-begreppet i skatteboken som liktydigt med hushåll visar sig vara felaktig, får detta givetvis konsekvenser för alla resultat som helt eller delvis baseras på denna felaktiga definition. Det står således klart att det medeltida skriftliga materialet och den metod man tidigare tilllämpat vid analysen av detta, inte är lämpat att ge svar på frågan om n ä r området koloniserats.

IV Den etablerade bygden

Framställningen här ovan har tydligt visat hur svårt det är att utifrån det medeltida källmaterialet få någon uppfattning om bebyggelsens storlen och utbredning. Inte förran från 1540-talet har vi bevarat ett källmaterial som möjliggör detta.[48] Vår möjlighet att etablera bebyggelsehistorisk kunskap är alltså till stor del beroende av vilken typ av källmaterial som bevarats. Innan bebyggelsesituationen på 1540-talet rekonstrueras i sina huvuddrag skall vi därför först uppehålla oss något vid det källmaterial som legat till grund för denna rekonstruktion.

IV:1 Presentation av källmaterialet

Det rikhaltiga källmaterial som bevarats från 1500-talet medger att vi inte endast kan få befolknings- och bebyggelsehistorisk kunskap utan även kunskap om t ex näringslivets inriktning och dess organisation, bygdens sociala liv och så vidare. Det finns bevarat längder över bland annat sakören, hästestånds–, mulbetes- och köpmanspenningar samt fiskeriregistren, varav de senare är av mycket stor betydelse vid bedömningen av fiskets relativa betydelse i de olika socknarna och i förhållande till övriga näringar. De här nämnda skatterna var selektiva, det vill säga de erlades endast av vissa grupper inom befolkningen. Däremot var de extra skatter som

48 Se ovan not 41.

stundtals drabbade befolkningen i området avsedda att erläggas av alla och envar. De längder som upprättades i samband med dessa skatters erläggande är ofta mycket utförliga. Som namnet antyder var dock dessa skatter inte årligen återkommande utan förekom endast sporadiskt och uttogs ofta efter mycket varierande normer. Generellt verkande och årligen återkommande var framför allt tre avgifter — tiondeavgiften, bågaskatten och jordskatten. Längder över tiondegivarna finns ej bevarat i samma utsträckning som längder över de som erlade de två senare skatterna. Vi skall därför här uteslutande ägna vårt intresse åt dessa senare längder. [49]

Bågaskatten, även kallad vinterskatten, har anor bakåt i tiden till i varje fall Hälsingelagen vid 1300-talets början. Den erlades först i skinn men avlöstes sedermera i pengar varvid varje vuxen mansperson »som kunde spänna en båge» skulle erlägga 1/2 öre. De längder vari de bågaskatteskyldiga antecknats finns bevarade nästan år för år från och med år 1539. Även om längdernas bokföringsmässiga utseende sedermera förändras under 1500-talets lopp, hade de vid den tid som här är aktuell en för oss mycket informativ uppställning.

By för by anges bönderna med namn (=nominati) samt för hur många söner, bröder respektive mågar varje bonde hade att erlägga bågaskatt. Medan bågaskatten således var en odifferentierad personell skatt som utgick med ett schablonartat belopp per skattedragare var jordskatten av en helt annan karaktär.

Jordskatten erlades av samtliga jordägare, kvinnor såväl som män, och vilade på en beskattning av åkern med därtill hörande nyttigheter som ängsslåtter samt i vissa fall fiske. Nogranna uppgifter om jordskatten och de bönder som hade att utgöra denna finns bevarade så gott som årligen från och med år 1543. Jordeboken 1543 upptar samtliga de socknar som fanns i området vid denna tid varvid dessa i sin tur är uppdelade på byar. För varje by finns förtecknat namnen på jordägarna i byn (=nominati) med uppgift om vars och ens skattekraft. Denna är differentierad på de olika ägoslagen, varför det är lätt att beräkna hur mycket var och en skattade för åker och äng samt i förekommande fall för fiske. Det senare uttrycks i samma mått som åkern, spannland och dettas underavdelning skälsland, medan värdet av ängens nyttjande uttrycks i lass hö. Efter varje nominati finns sedan angivet

---

[49] För en bredare och fördjupad framställning av utvecklingen under 1500-talet se bl a H. Sundström, Bebyggelse- och befolkningsutveckling i Övre Norrland fram till c:a 1600 (opubl avh-manuskript) samt där anförd litteratur. Se även J. Turunen, Tornionjokilaakson ja Kemijokilaakson asutus 1500-luvun maakirjojen valossa (manus, Hist.inst., Uleåborgs Universitet) samt där anförd litteratur.

Tabell 1.

BYARNAS FÖRDELNING EFTER ANTALET BRUKARE 1543

Antal byar	Byar med ett antal brukare av																												S:a
	1	2	3	4	5	6	7	8	9	10	11	12	13	14	15	16	17	18	19	20	21	22	23	24	25	26	27	28	
Torneå		2	5	3	4	2	1	1	2				1	2	1		1			1							1	1	28
Kalix	1	6	7	3	2	3	3	2	1	1	2	1	1																33
Luleå	1	2	7	5	1	3	3	4	4	4	2	1	1	1	2	1	1	1			1	1			1				47
Piteå	2	3	4	3	2	2	3	2		2	2				1	2					2		1	1					32
Skellefteå	3	5	9	8	3	5	5	4	3	2	2	1	1	2	1							1							55
Lövånger	1	2	7	3	2	4	3	1	3	1																			27
Bygdeå		3	5	5	3	5	4	3	2	1	2			1						1									35
Umeå	7	14	13	13	7	7	9	1		1	2	2	1			1	2	2	1				1						84
Total summa:	15	37	57	43	24	31	31	18	15	12	12	5	5	6	5	4	4	3	1	2	3	2	2	1	1		1	1	341

den sammanlagda skatt som vederbörande hade att erlägga från samtliga av de ovan nämnda nyttigheterna.

Av det ovan nämnda framgår att i bågaskattemantalet innefattades samtliga vuxna män medan i jordskattemantalet endast innefattades samtliga jordägare varibland dock stundtals även förekommer en del kvinnor.

Med utgångspunkt i det källmaterial, som ovan redogjorts för skall nu bebyggelsesituationen på 1540-talet tecknas i grova drag.

IV:2 Bebyggelsesituationen år 1543

Bebyggelsen är vid denna tid belägen vid kusten och upp efter de stora älvarna samt kring dessas bifloder, varvid odlingen avancerat ett tiotal mil upp i älvdalarna med undantag för Tornedalen. Här hade odlingen nått ända upp till Pello c:a 15 mil från kusten.[50] Å andra sidan är kustområdet mellan Torneå och Kalix socknar mycket glest bebyggt i jämförelse med motsvarande område mellan de övriga älvdalarna. Kustbebyggelsen är nämligen sammanhängande från och med Kalix-bygden och söderut, medan området högre upp mellan älvdalarna är helt obebyggt. I områdets sydligare delar synes kustbosättningen ha varit tätare än i de nordligare delarna där bebyggelsen mer uttalat anknyter till själva älvdalen. Framförallt gäller detta Kalix och Torneå socknar. Bebyggelsen i Kalix älvdal är snarare uppdelad i två bebyggelsecentra. Det största och mest koncentrerade ligger utefter älvens allra nedersta lopp intill dess utflöde i havet. Därefter ligger byarna glest uppefter älven fram till trakten av Överkalix där en andra bebyggelsekoncentration finns.

I Tornedalen var bebyggelsen i extrem grad lokaliserad till själva älvstranden, och byarna låg här som pärlor på ett band längs älven. Av 1600-talets kartmaterial framgår att byarna i Tornedalen hade annorlunda form och struktur än de övriga socknarnas.

I de senare var åkrarna bandparcellerade och ägoblandning rådde samtidigt som byarna var av varierande utseende men oftast bestod av en eller flera gårdsklungor.

Ägoblandning saknades i Tornedalen där i stället varje hemman hade sin mark samlad inom ett gärde. Hemmanen låg därvid på rad längs älven så att var och en med sin mark hade kontakt med älvstranden. Tornedalens byar

---

[50] En del tecken tyder på att Pello funnits som by redan i början av 1400-talet. Se K. Julku, Keskiaikainen tuomio Pellon rajoista (Oulun yliopisto. Historian laitos. Eripainossarja n:o 20. Oulu 1975).

kom härigenom att bli utpräglade strandradbyar och sakna fastare organisation.[51] Det som krävde samverkan och organisation var i Tornedalen inte åkerns brukande utan fiskets bedrivande, vilket senare ofta skedde ovan bynivå.

Byarnas storlek inom området och inom varje socken varierar från byar med bara ett par bönder upp till byar med trettiotalet bönder. Det kan uppmärksammas att så kallade ensamgårdar är mycket sällsynta inom området, och saknas helt i Torneå socken.

Av ovanstående tabell framgår fördelningen av byarnas storlek både inom varje socken och inom hela området. Det kan konstateras att byarna ofta är så stora att de har få motsvarigheter i övriga Sverige. Inom området blir de små byarna generellt sett fler ju längre söderut man kommer medan det omvända förhållandet råder beträffande de stora byarna, vilka blir fler ju längre norrut man kommer. I södra delen av området föredrog man att bo i små byar, i norra delen att bo i stora byar. Vi skall här inte närmare gå in på orsaken till detta. Problemet har uppmärksammats inom tidigare forskning och vi skall återkomma härtill i annat sammanhang.[52] I denna framställning skall vi nöja oss med de konstateranden som ovan gjorts.

Beträffande folkmängden i området kan vi få viss uppfattning därom genom de uppgifter som finns om jordskatte- och bågamantal. Enligt dessa uppgick antalet jordägare i området till 2.333 medan antalet vuxna män var 2.708. Hur dessa fördelar sig på de olika socknarna framgår av nedanstående tabell.

Tabell 2.

Socknarnas procentuella andel av jordskatte- respektive bågaskattemantalet för hela Västerbotten år 1543.

	Torneå	Kalix	Luleå	Piteå	Skellefteå	Lövånger	Bygdeå	Umeå	Västerb.
Jordemantal	12	8	17	12	16	6	10	19	= 100 %
Bågamantal	13	9	18	12	16	6	9	17	= 100 %

Intresserar vi oss för motsvarande procentuella fördelning av jordskatten och samtidigt antar att dennas storlek avspeglar graden av uppodling inom

---

[51] Se. S. Erixon, Svenska byar utan systematisk reglering (Sthlm 1960) ss. 203—205 samt ss. 118—121.
[52] Se t ex G. Enequist. Övre Norrlands storbyar i äldre tid. YMER 1935 h. 2 ss. 143—184.

respektive socken finner vi att Umeå och Luleå varit de i särklass mest uppodlade socknarna. Tillsammans svarar de med lika stora andelar för nästan hälften av den samlade jordskatten från området. Torneå och Kalix svarar däremot för betydligt mindre andelar av jordskatten än vad deras respektive andelar var av mantalet. Den bild man på så sätt erhåller av skillnaden mellan socknarna/älvdalarna förstärks om vi tittar på jordskattens fördelning mellan åker och äng inom varje socken.

I t ex Luleå svarar åkern för över 4/5 av socknens samlade jordskatt. Med undantag av Torneå och i viss mån Kalix intar åkern en framskjuten ställning även i de övriga älvdalarna/socknarna. Endast i Tornedalen kan ängen i ekonomisk betydelse jämställas med åkern emedan de svarade för ungefär lika andelar av socknens samlade jordskatt.

Fiskets betydelse som binäring kan med utgångspunkt från jordeboksuppgifterna sägas tillta ju längre norrut man kommer för att i Torneå älvdal vara av allra största betydelse. Visserligen saknas för Torneås de uppgifter om fisket i jordeboken av år 1543, men från annat material, de så kallade fiskeriregistren, har vi kännedom om fiskets betydelse i Tornedalen.

Sammanfattningsvis kan om näringslivet sägas att åkerbruk och boskapsskötsel, jakt och fiske varit av betydelse inom hela området. En viss regional differens kan iakttagas beträffande dessa näringars inbördes betydelse. Medan åkerbruket varit av störst betydelse i de flesta socknarna har i Tornedalen boskapsskötsele och fiske tillsammans varit av minst lika stor betydelse som åkerbruket. En del av förklaringen härtill kan säkerligen sökas i naturgeografiska förhållanden.

Jämfört med de övriga älvdalarnas breda sedimentbälten förekommer de för odling gynnsamma sedimenten ytterst sparsamt i Tornedalen. I omedelbar anslutning till älven är stränderna här å andra sidan mycket flacka varför det lätt bildas naturliga strandängar. Stark sedimentering i själva älvfåran har medfört att små holmar bildats vilka gav riklig höskörd. Därtill kommer att Torne älv tillsammans med Kemi älv var en av de laxrikaste älvarna i hela området kring Norra Bottnen. De naturliga förutsättningarna i Tornedalen var således goda för att näringslivet skulle inriktas på boskapsskötsel parallellt med fiske i såväl hav som älv. Därmed har bebyggelsesituationen vid 1540-talets början skisserats i grova drag och några av dess bakgrundsfaktorer antytts. För en utförligare analys av dessa samt den fortsatta utvecklingen under 1500-talet hänvisas till annan framställning. Avsikten med framställningen närmast ovan var i första hand att teckna en bakgrund mot vilken den medeltida utvecklingen borde ses.

V Sammanfattning

Först från 1540-talet finns bevart että källmaterial som tillåter att vi någorlunda säkert kan få kunskap om bebyggelse och befolkning i området vid denna tid.

Bondebygden var då fast etablerad och relativt väl utspridd inom alla områdets dåvarande socknar. Åkerbruket intog en framskjuten plats inom näringslivet som även var inriktat på boskapsskötsel. Samtidigt förekom fiske och jakt som binäringar. I Tornedalen var åkerbruket ej av lika stor betydelse utan här var boskapsskötsel och fiske viktigare än i de övriga älvdalarna inom området. Detta berodde inte på att bebyggelsen i Tornedalen befann sig i ett yngre utvecklingsskede, utan kan till stor del ges naturgeografiska förklaringar.

Våra möjligheter att få insikt om den historiska bakgrunden till bebyggelsesituationen på 1540-talet är dock starkt bergränsade.

Det skriftliga medeltida källmaterialet är mycket sparsamt förekommande och dessutom svårtolkat. Vår kunskap om bosättningshistorien före 1540-talet måste därför baseras på omfattande indicieresonemang med utgångspunkt från detta källmaterial. Denna metod har även använts av tidigare forskning. Man har därvid kommit fram till uppfattningen att området saknar fast bosättning före 1300-talets början men att kolonisationen startar under detta århundrade och att sedan en stark expansion av bebyggelsen äger rum under 1400-talet och början av 1500-talet.

I ovanstående framställning har allt ur bosättningshistorisk synpunkt relevant skriftligt medeltida källmaterial kritiskt granskats. Denna granskning har resulterat i en annan uppfattning än den som redovisats av tidigare forskning. Vid en förutsättningslös analys av källmaterialet visar det sig att detta inte innehåller några uppgifter som stöder uppfattningen om att området saknat fast bosättning före 1300-talets början eller att någon stark senmedeltida kolonisation förekommit. Inte något i källmaterialet motsäger möjligheten av att bygden etablerats redan före 1300-talets början.

På grund av det skriftliga källmaterialets brister är det dock svårt att med detta som grund rekonstruera en alternativ bebyggelsebild. Den senaste tidens arkeologiska, namnvetenskapliga samt kvartärbotniska forskningar har dock dragit upp konturerna av en sådan alternativ bebyggelsebild.[53]

Arkeologiska undersökningar i Piteå älvdal (Kyrkbyn).[54] och Torneå

---

[53] För ytterligare information härom, se under not 2 anförd litteratur.
[54] K. Lundholm. Kyrkbyn Pitebygdens äldsta marknadsplats Studier i norrländsk forntid. Festskrift till Ernst Westerlund 9/11 1975 (Umeå 1978) ss. 94—105.

173

älvdal (Hietaniemi,[55] Oravaisensaari och Kainuunkylä[56]), kvartärbotaniska undersökningar (pollenanalyser) i norra Ångermanland,[57] Umeå-trakten,[58] Piteå-trakten[59] och i Torneå älvdal[60] samt en metodisk namnvetenskaplig undersökning av Tornedalens ortnamn[61] har alla gett ett samstämmigt resultat — kolonisationen av området måste ha startat långt före 1300-talets början.

På detta sätt har alltså en förnyad analys av det skriftliga källmaterialet tillsammans med arkeologiska, namnvetenskapliga och kvartärbotaniska undersökningar gett oss ny kunskap om Övre Norrland bosättningshistoria.

[55] Rapport från grävningsledaren antikvarie Thomas Wallerström. Norrbottens Museum. Grävningen är ännu ej avslutad.
[56] P. Koivunen. Oravaisensaari och Kainuunkylä — medeltida boplatser i Tornedalen (Historisk tidskrift för Finland 1977:4).
[57] P. Huttunen & M. Tolonen. Pollen analytical studies of prehistoric agriculture in northern Ångermanland. Early Norrland 1 (1972).
[58] R. Engelmark. The vegetation history of the Umeå area during the past 4000 years. Early Norrland 9 (1976). Se även O. Zackrisson, Vegetation dynamics and land use in the lower reaches of the river Umeälven. Early Norrland 9 (1976).
[59] Se K. Lundholm, Kyrkbyn och Stor-Rebben — om medeltida kust- och skärgårdsbosättning i Pitebygden. Rapport från maritimhistoriskt symposium i Luleå 1976, utg. av statens sjöhistoriska museum och rådet för maritim forskning (Luleå 1976) s. 108f.
[60] M. Hjelmroos. Tornionjokilaakson, erityisesti Oravaisensaaren kasvillisuuden kehitys kulttuurin vaikutuksen alaisena (stencilerad pro gradu-avh., Uleåborgs Universitet, 1976).
[61] J. Vahtola. a.a.

Tiivistelmä

Hans Sundström, Talonpoikaisasutus syntyy — Ylisen Norlannin vanhin asutushistoria kirjallisen lähdeaineiston valossa.

Yllä olevassa kirjoituksessa käsitellään Ylisen Norlannin vanhinta asutushistoriaa 1500-luvun alkuun asti. Tutkimusalue käsittää Uumajan, Bygdeån, Lövångerin, Skellefteån, Piitimen, Luulajan, Kalixin ja Tornion vanhat suurpitäjät.

Tältä alueelta on säilynyt vain hyvin harvoja keskiaikaisia kirjallisia lähteitä. Käsillä olevassa tutkielmassa on kuitenkin pyritty kriittisesti tarkastelemaan mahdollisuuksia tehdä johtopäätöksiä asutushistoriasta näiden kirjallisten tietojen pohjalta, joita ei ole olemassa 1300-luvun alkua varhaisemmalta ajalta. 1300-luvulta kirjallista materiaalia on jo jonkin verran, mm. eräs kirkollinen kantoluettelo, Helsinginlain tiedot, muutamia kirjeitä, joissa tiettyjä alueita mainitaan, yleisiä kuninkaallisia määräyksiä verotuksesta ja verovapauksista sekä todisteita kirkollisen hallinnon organisoimisesta.

Aikaisempi tutkimus on katsonut näiden tietojen osoittavan, että alueella ei ole ollut kiinteää asutusta ennen 1300-lukua, mutta että tällä vuosisadalla aluetta ruvettiin toden teolla asuttamaan samanaikaisesti kun kirkollinen hallinto järjestettiin. Tämä käsitys on yllä pala palalta kriittisesti analysoitu ja tulokseksi on saatu, että aiemman tutkimuksen käsitystä on arvioitava uudelleen. Tavanomaisten käsitysten ja perustelujen tilalle on lähdeaineistosta voitu esittää vaihtoehtoisia tulkintoja.

Yksi keskeisimmistä 1400-luvun lähteistä on Eerik Pommerilaisen n.s. verokirja, joka ajoittuu vuoteen 1413. Tämä lähde on kuitenkin säilynyt vain muutamina 1600-luvun otteina alkuperäislähteestä 1500-luvulla tehdystä kopiosta. 1540-luvulta lähtien on kuitenkin olemassa erittäin informatiivinen kirjallinen lähdeaineisto, kruunun maakirjamateriaali. Näistä on vuoden 1543 maakirja varhaisin säilynyt ja samalla hyvin seikkaperäinen ja tarkka lähde. Aiemmassa tutkimuksessa on pyritty saamaan tietoa alueen asutus- ja väestökehityksestä siten, että on suoraan verrattu niin sanottujen »savujen» (rök) määrää 1413:n verokirjassa »manttaalien» määrään vuoden 1543 maakirjassa. Näin on ajateltu, että »savu» (rök) olisi analoginen »manttaalin» kanssa, joka tänä aikana oli identtinen verolle pannun talouden (hushåll) kanssa. Kun »manttaalien» määrä on 1543 miltei kuusi kertaa suurempi kuin »savujen» (rök) määrä 1413, on otaksuttu, että väestö on lisääntynyt vastaavassa suhteessa ja myös asutus on näin laajentunut.

Tällaista päättelyä vastaan on kaikkein ensimmäiseksi esitettävä periaatteellisia vastaväitteitä lähteiden yhteismitattomuuden pohjalta. Edelleen voidaan asettaa kyseenalaiseksi, onko oikein tulkita »savu» (rök) yhdeksi ja samaksi asiaksi käsitteen talous (hushåll) kanssa. Yllä olevassa tutkielmassa on edelleen pyritty kriittisesti analysoimaan vuoden 1413 verokirjan tietoja. Osoittautuu, että yhdestä Suomen lääneistä, Satakunnasta, on verokirjassa tieto »savun» (rök) murto-osasta (837 1/2). Lienee näin selvää, että verokirjan »savu» (rök) ei merkitse samaa kuin talous. Tutkimusalueellamme »savu» (rök) esiintyy ainoana verotusyksikkönä, mutta eräissä Suomen lääneissä sen rinnalla esiintyy muitakin verotusyksikköjä. Kun verrataan »savua» (rök) esim. erääseen toiseen verotusyksikköön, »koukkuun» (krok), voidaan todeta, että »savuun» kohdistuva veromäärä on noin 25 % suurempi kuin »koukun» veromäärä. Kun nyt otaksutaan, että veromäärän suuruus kuvastaa verotusyksikön suuruutta, kun normit esiintyvät samassa verotusasiakirjassa, niin on »savun» täytynyt v. 1413 olla suurempi verotusyksikkö kuin »koukku» (krok) tänä aikana. »Koukku» (krok) esiintyy verokirjassa jaettuna niin pieniin murto-osiin kuin 1/6. Yllä olevassa kirjoituksessa on esitetty käsitys, että »savu» (rök) on v. 1413 ollut kameraalinen kokonaisuus, joka kaikella todennäköisyydellä on käsittänyt useita talouksia. Tällainen »savun» tulkinta ei luonnollisestikaan tue käsitystä, että asutus- ja väestökehitys Pohjois-Ruotsissa ja -Suomessa olisi ollut voimakkaan ekspansiivinen 1400-luvulla. Tällaisen ekspansion olemassaoloa ei voida enää perustella samoilla näkökohdilla kuin aikaisemmin.

Joskus on erään toisen veronkantomateriaalin avulla ajateltu voitavan arvioida väestön määrää 1500-luvun alussa. Tässä on käytetty hyväksi tietoja ns. Olaus-veron määrästä vuodelta 1509 sekä erästä myöhäistä tietoa 1540-luvulta, jossa esitetään, kuinka paljon jokaisen talouden oli tarkoitus maksaa tätä veroa. 1500-luvun alun materiaali on kuitenkin sangen epävarmaa ja samanaikaiset tiedot veron määrästä veronmaksajaa kohden siis puuttuvat. Jälkimmäinen tosiasia aiheuttaa sen, etteivät tiedot kerätystä veromäärästä pitäjää kohden voi antaa valaisua siitä, kuinka monta veronmaksajaa vastasi verosta.

Yllä esitetty tutkimus keskiajan kirjallisesta lähdemateriaalista on näin ollen tuonut tulokseksi ennen muuta sen, että aiemman tutkimuksen tulokset on asetettava uuden arvioimisen kohteeksi. Lähdeaineiston tiedot eivät anna mitään tukea ajatukselle, ettei alueella olisi ollut kiinteää asutusta ennen 1300-lukua ja edelleen sille käsitykselle, että 1400-luvulla olisi alueella tapahtunut hyvin voimakas kolonisaatio. Kirjallisen materiaalin aukollisuuden vuoksi on yksin tämä aineisto lähtökohtana vaikea rekonstruoida vaihtoehtoista asutuskuvaa. Viime aikojen tutkimustulokset arkeologian, kvartäärikasvitieteen (siitepölyanalyysit) ja nimistötieteen piirissä tukevat kuitenkin käsitystä, että alue on asutettu kauan ennen 1300-luvun alkua. Seikkaperäisempi ja syvällisempi pohdiskelu näistä ongelmista on kuitenkin jätettävä toiseen yhteyteen.

Summary

Hans Sundström: Peasant population emerges — the history of the earliest colonization of Upper Norrland in the light of literary sources.

The aforesaid paper deals with the earliest colonization of Upper Norrland up untill the early 16th century. The area covered consists of the old grand parishes of Umeå, Bygdeå, Lövånger, Skellefteå, Piteå, Luleå, Kalix and Torneå.

The medieval literary sources concerning this area are very few in number. The present author, however, has approached critically the possibility of drawing conclusions on the history of colonization on the basis of these literary data, of which there are none for the period preceding the early 14th century. Some written documents of the 14th century do exist. There is, for example, an ecclesiastic levy catalogue, the information contained in the Helsingland Law, a few letters with reference to certain districts, general royal decrees pertaining to assessment and exemption, and some evidence of the organization of ecclesiastic administration.

Earlier research has assumed, on the basis of this information, that the area was not permanently populated prior to the 14th century, but that serious measures of colonization were undertaken in that century parallel with the organization of ecclesiastic administration. This assumption has now been subjected to critical analysis piece by piece, and the results of this analysis indicate that re-evaluation of the matter is necessary. Instead of the conventional views and explanations, alternative interpretations of the source material have been presented.

One of the central 15th century sources is the »tax book» by Eric the Pomeranian, which dates back to 1413. This source, however, is only preserved as a few 17th century extracts of the copies made in the 16th century of the original document. From the 1540's onwards, there is a highly informative literary source material, the land registers of the Crown. The land register of 1543 is the earliest preserved, being a notably circumstantial and accurate source. In the previous endeavours of finding information on the settlement and population of this district, the number of smokes (»rök») in the 1413 tax book has been compared directly with the number of »mantal» units in the 1543 land register. A smoke (»rök») has been postulated as being analogous to a

»mantal», which at that time was identical with an assessed household (hushåll). Since the number of »mantal» units in 1543 was nearly sixfold compared with the number of smokes (»rök») in 1413, it was assumed that the number of inhabitants had increased and the settlement expanded to the same extent.

Such conclusions can be contested, first of all, on the basis of the incommensurateness of the sources. Furthermore, it is questionable whether a smoke (»rök») should be interpreted as being identical with a household. The present author has also analyzed critically the data in the 1413 tax book. It turns out that for one Finnish province, Satakunta, a fraction of a smoke (837 1/2) has been reported in the tax book. It hence appears clear that the smoke of the tax book is not identical with a household. In the present research area, the smoke appears as the only unit of taxation, but in some Finnish provinces, other units of taxation are used along with it. When the smoke is compared with the crook (»krok») another unit of taxation, it can be seen that the amount of tax assessed for the smoke is greater by about 25 % than that assessed for the crook. If we now assume that the amount of tax reflects the size of the unit assessed, since the standards appear in the same document of taxation, we can infer that the smoke in 1413 must have been a larger assessable unit than the contemporary crook. In the tax book, the crook has been divided in fractions as small as 1/6. The author of the above paper postulates that the smoke in 1413 has been a cameral unit, probably consisting of several households. Such an interpretation of the smoke naturally gives no support for the assumption that the development of settlement and population in northern Sweden and Finland would have been markedly expansive in the 15th century. The presence of such an expansion can no longer be justified on the same grounds as previously.

It has sometimes been suggested that another assessment material could be used for estimating the number of population at the beginning of the 16th century. There is information available on the amount of the »Olaus» tax in 1509, and there is also a subsequent piece of information of the 1540's showing the amount of this tax each household was to pay. The early 16th century material is quite unreliable, however, and there is no simultaneous data concerning the amount of tax per each taxpayer. Thus, though the amount of tax collected from each parish is known, the number of taxpayers responsible for that tax remains unknown.

The above investigation of medieval written source material has hence resulted in a re-evaluation of the previous findings. The source material provides no support for the assumption that the area would have lacked permanent settlement prior to the 14th century and that powerful colonization would have taken place in the 15th century. The literary material, owing to its incompleteness, is in itself an inadequate basis for the reconstruction of an alternative theory of colonization. The recent findings in archeology, quaternary botany (pollen analyses) and onomatology, however, support the assumption that this area war populated long before the beginning of the 14th century. Any more circumstantial and exhaustive discussion of these problems is beyond the scope of the present account.

Fig 1. Storforsen, Pite älvdal, sådan den måste ha tett sig för älvdalens tidiga inbyggare då dessa på sina fiske- och fångstfärder trängde uppåt älvdalen. Den medeltida bygden hade gjort halt dryga milen nedom denna fors. Endast stenkistorna, lämningar efter senare tiders timmerflottning, stör bildens tidlöshet. – (Foto: G. Holmström. Bildarkivet, Norrbottens museum)

Fig 2. Ersnäs by, Nederluleå socken. På de sedimentrika kustslätterna nere vid älvmynningarna uppstod tidigt stora jordbruksbyar. Ersnäs nämns i skriftligt material första gången 1489, men var säkerligen redan då av ansenlig ålder. 50 år senare hade byn enl. 1543 års jordebok hela 21 hemman. – (Foto: Liljeqvist. Ensamrätt: AB Flygtrafik, Stockholm)

Fig 3. Uppåt älvdalarna var odlingsutrymmet stundom snålt tilltaget. Bebyggelsen klängde sig då fast i gränslandet mellan älv och skog, som här Arnemark, Piteå socken. 1543 hade byn 5 hemman enl. detta års jordebok. – (Foto: G. Holmström. Bildarkivet, Norrbottens museum)

Fig 4. Hietaniemi-selets ladrika slåttermarker – det tidiga Tornedalens hjärtland – med berget Aavasaksa i bakgrunden (jfr bokens omslagsbild). Vid 1500-talets mitt fanns i omedelbar anslutning till Hietaniemi-selet ett 50-tal hemman, där Kainuunkylä med sina 20 hemman var den största enskilda byn. – (Foto: Kjell Lundholm, Norrbottens museum)

Fig 5. Vid Överkalix, där Ängesån och Kalix älv flödar samman, uppstod ett av Kalix-dalens medeltida bebyggelsecentra. – (Foto: G. Holmström. Bildarkivet, Norrbottens museum)

Fig 6. I Luleå gamla storsocken bar alla vägar till den medeltida stenkyrkan nere vid kusten (se även fig 10). – (Foto: IV Flygkåren, Östersund. Bildarkivet, Norrbottens museum)

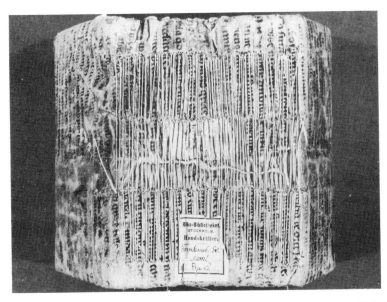

Fig 7. Liten bok med stora konsekvenser. »Sumlen» av Johannes Th. A. Bureus (1568–1652). Den omfångsrika lilla volymen (17×13×11 cm) innehåller Burei anteckningar om varjehanda ting, varibland några sidor upptar ett utdrag ur den s.k. »Erik av Pommerns skattebok 1413» (se även fig 8). – (Foto: Kungl. Biblioteket)

69

Fig 8. Ett centralt aktstycke för Övre Norrlands medeltida bebyggelsehistoria. I Burei utdrag ur skatteboken 1413 återfinns uppgiften om antalet rökar vid denna tid i bl.a. Torneå, Luleå och Piteå (se bildens nedre vänstra hörn). När Bureus gjorde detta utdrag någon gång under första hälften av 1600-talet anade han föga att det skulle bli den förnämsta källan till vår kunskap om skatteboken. – (Foto: Kungl. Biblioteket)

The Earliest Settlement in
The Tornio (Torne) River Valley

Reprint av s. 244—271 ur *Desertion and Land
Colonization in the Nordic Countries* c. 1300—1600

EXCURSUS

The Earliest Settlement in the Tornio (*Torne*) River Valley

An Example of Inter-Disciplinary Research

By HANS SUNDSTRÖM, JOUKO VAHTOLA
and PENTTI KOIVUNEN

I. Introduction

I: 1

Earlier research characterized Late Medieval settlement in large parts of
northern Norway, northern Sweden and the greater part of Finland in terms of
strong expansion. In contrast to this northern-eastern expansion zone a south-
ern-western zone was seen in terms of economic and demographic regression.
In line with the Scandinavian Research Project's objective of testing the
validity of such generalized conceptions, Project researchers launched a study
of settlement development in northern Sweden during the period up to about
1600 (Sundström, MS).

Results were already emerging during the initial stage of this study to
challenge the opinions of earlier research. Renewed analysis of written medi-
eval sources indicated, in fact, that there was no documentary support for the
theory of expansive colonization during the 15th century (Sundström 1970).

Working from these new vantage points we found it necessary to intensify
our analysis of written source materials and specify the types of settlement data
they might afford us. The deficient nature of these sources emphasized the
importance of visualizing settlement not only from the traditional historical
perspective, but also in terms of a broad interdisciplinary focus.

It became increasingly clear to us that if we were to maximize our under-
standing of this multi-faceted reality the study of written sources would have to
be complemented with an analysis of other types of material relative to that
period, including place-names, archeological remains, pollen analysis etc. The
results of these various lines of analysis could then be juxtaposed for the
purposes of comparison and interrelation. The "Research Group for the Study
of the Early Settlement of the Tornio (*Torne*) River* valley" was subsequently
created as a means of fulfilling this objective and utilizing the available
research manpower. Basic staffing consisted of Finnish and Swedish historians,
archeologists and place-name researchers, but contributions also came from
ethnologists and quaternary biologists.

* Any place with both a Finnish and a Swedish name will be represented in the text by its Finnish
name, the first time with the Swedish name in brackets.

By fortunate coincidence, a number of researchers happened to be working simultaneously but individually on material relevant to the settlement history of both northern Sweden and northern Finland, where the common meeting ground was the Tornio River valley.

Previously, representatives of different disciplines had occasionally presented separate results on the history of settlement in this area. This new research venture constitutes a sharp break with the past, however, as it calls for parallel contributions and collaboration among specialists around a central, uniting complex of problems, the early settlement history of the Tornio River valley.[1]

The following pages are not to be regarded as a final report on our collaborative project, as the work is far from complete. Rather, they should be seen as an indication of what can be accomplished with this type of international and interdisciplinary collaboration. For this reason, our discussion will focus primarily on the Tornio River valley, although some general perspectives will be advanced for other parts of the project's study area in northern Sweden.

I: 2 The Study Area

In times past the districts around the northernmost rim of the Gulf of Bothnia constituted a composite area called Northern Bothnia, its western section being called Västerbotten and the eastern part Österbotten. Today the latter forms a part of Finland, whereas the former comprises the northernmost parts of Sweden. Since 1809 the Tornio River has marked the boundary between these two countries, but during the period covered by the present study no such boundary existed, as the whole area was under the Swedish Crown.

As far as Västerbotten is concerned, an early distinction was made between its coastal districts, which gradually assumed the character of a genuine farming region, and the inland Lapp regions, which for a long period of time were characterized by uncertain conditions in terms of both population and settlement. The dominant population element in these inland sectors comprised the nomadic Lapps, whose economy was based on reindeer herding. The present study area is concentrated in the coastal districts between the Tornio River to the north and the Ume River valley to the south (see map). In terms of surface area these districts represent 7 % of presentday Sweden, the Tornio River valley alone accounting for about 1 % of the country's present surface area. In all essential respects the following discussion is concerned only with the Tornio River valley.

This extensive study area is characterized by: (1) large rivers flowing from

[1] The research group for "The Earliest Settlement in the Tornio River Valley" consists of the following persons:
Head of the research Professor Erik Lönnroth, Gothenburg.
Directors of research Ass. Professor Eva Österberg, Lund, and Professor Kyösti Julku, Oulu.
Archeology County custodian of Antiquities Kjell Lundholm and Antiquarian Thomas Wallerström, both Luleå; University lecturer Pentti Koivunen, Oulu.
History Research assistant Hans Sundström, Lund, and M. A. Juhani Turunen, Oulu.
Onomastics Ass. Professor Gunnar Pellijeff, Uppsala, and Ph.D. Jouko Vahtola, Oulu.

the mountains into the Gulf of Bothnia, and (2) the watershed areas and ridges between these river valleys. In times past the area between these valleys was much wilder country than it is today, although it is still covered by dense forest and remains very sparsely populated. To a large extent these river valley settlements retain a character of their own, distinct from one another and joined in earlier times only by a narrow belt of settlement along the coast, forming a chain of parishes running from south to north: Umeå, Bygdeå, Lövånger, Skellefteå, Piteå, Luleå, Kalix, and Tornio (Torneå); see map, -å stands for river.

The outlines of this settlement picture emerge by the mid-16th century (Sundström MS; Turunen 1975, among others).

At that time the settlement consisted of some 2 300 farms, situated in part along the mouths of these northern rivers and for some distance upstream and in part along a small stretch of the coast-line between the river valleys. Almost all of the farms in the area were freehold properties. Surprisingly enough, only a few cases of isolated farms are to be found in this extensive geographical area, and in some parishes such as Tornio there are none whatsoever. Instead, the dominant settlement category, especially in the northern sections is the relatively large village. Almost one-half of all the farms are clustered in villages of more than 10 farms at a time. Although certain parallels with this settlement picture can be found in the large village structure of the province of Österbotten in northern Finland, there are few areas in 16th-century Sweden that have comparable structures. In fact, it is only in Scania the southernmost province of modern Sweden and at a few other places, that one generally finds villages of this particular size.

One reason for this strong concentration of settlement along parts of coastline and the inland rivers are the trading opportunities afforded by coastal and inland fishing and fur trapping. Evidence of the importance of these commodities in trade with southern parts of the country is to be found in the earliest written source materials. Moreover, this entire area lay below the upper geological shoreline of the Baltic, and sea and river-bed sediments favourable to agriculture are found along the river banks and around the relatively broad heads of the bays. The latter areas, adjacent to the lower reaches of the northern rivers, are flat and highly suitable for farming. The extent and composition of this fishing, trading and farming economy can be stated in more detail with the aid of 16th-century source materials, although during that century it is farming which appears to have been the prime economic activity in most of the area's eight parishes. The parish of Tornio is an exception in this respect, however, as trade, fishing, hunting and livestock production apparently dominated over farming.

The immediate shores of the Tornio River valley were very flat in nature and promoted the formation of natural meadows, which were fertilized by extensive spring flooding. Pronounced sedimentation in the river channel caused the formation of small islands, where grass and hay grew in abundance. In addition, the Tornio River and the adjacent Kemi River on the Finnish side of

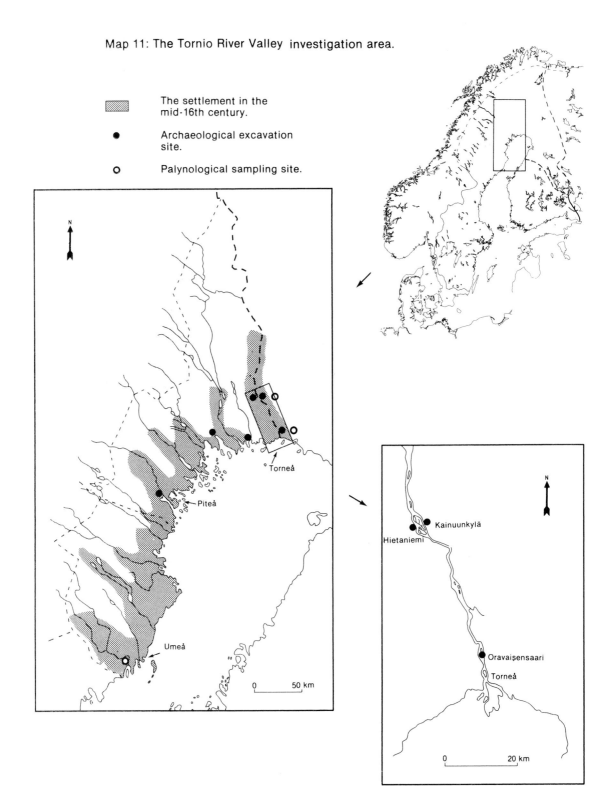

Map 11: The Tornio River Valley investigation area.

▨ The settlement in the mid-16th century.

● Archaeological excavation site.

○ Palynological sampling site.

Torneå

Piteå

Umeå

0 50 km

Kainuunkylä

Hietaniemi

Oravaisensaari

Torneå

0 20 km

the border are recognized as two of the richest salmon-spawning areas in northern Europe. In other words, the natural resources of the Torne River valley were favourable to an economy based on livestock production complemented by coastal and inland fishing.

Even though only the last 100 km of the 510 km long Tornio River lies to the south of the Arctic Circle, the 16th-century settlement, consisting of 287 farmsteads in 28 villages, was located entirely in this southernmost section. Settlement was concentrated very strictly along the banks of the river, the villages were clustered like strings of pearls, stretching inland from the coast up to the northernmost 16th century farm, just north of the Arctic Circle. Three concentrations of settlement can be distinguished during that century;

1) a small coastline concentration around the main village of Raumo (27 farms),

2) another located some distance upstream near the village of Vojakkala (28 farms);

3) a final concentration located some 10 km further upstream at a river delta which had been formed near the village of Kainuunkylä (Helsinge by).

The 17th-century cartographical material suggests that the villages of the Tornio River valley had a different form and structure from that of the other parishes of the area. Elsewhere the fields were distributed in rows on a joint ownership basis, while the villages were tightly organized and usually consisted of one or more farmstead clusters, whereas in the Tornio River valley there was no common field ownership, but instead each farm operated with its own enclosed parcel of land. In other words, the Tornio River farms stretched out in a row along the river with each dwelling house and land unit having contact with the shore. In this way the Tornio River valley settlements assumed the character of shoreline villages and in some cases almost overlapped one with another. These villages lacked any rigid organizational structure, and at times the concept of village seems to have been mainly of fiscal significance. Certain villages owned land on both sides of the river, so that the latter ran through the village in the manner of a "main street", and had a unifying rather than a divisive function. At that time the geographical boundary between the Finnish and Swedish language groups did not run through the Tornio River valley itself but rather *between* the Tornio and Kalix valleys. This fact emphasizes the importance of visualizing the history of this settlement from a unified perspective.

I: 3. Statement of Issues and Problems

While it is possible, then, to obtain a clear picture of the development of settlement in the Tornio River valley in the early part of the mid-16th century, the outlines of this development prior to that period are not easily discernible. For this reason one initial objective was to shed more light on this early phase of development, with study centered around three major problems:

1) *When* does the settlement familiar to us from 16th century sources begin to take shape?

2) *What were the origins* of the colonizing movements that led to permanent settlement in this valley?

3) *How* does this settlement grow? Is the colonizing phase one continuous event, or is there evidence of several different stages in settlement, and if so, is it possible to assign at least a relative date to these?

I: 4. Analysis of Written Source Material[2]

As far as the medieval situation is concerned, there is only limited scope for using written sources to obtain information on the development of settlement in the area.[3] We do, however, have access to certain types of fiscal data in the ecclesiastical tax collection registers (*uppbördslängder*), King Erik of Pomerania's 'tax book', the Late Medieval county registers (*länsregistren*), a supplementary tax register (*hjälpskattelängd*) from the early sixteenth century, and data on the Olai Due (*Olaigärd*) an additional ecclesiastical due from the same period. Other material is to be found in the "Instructions on the Revenues of the Realm (*Undervisningen om rikets ränta*) 1530–1533". Only in Erik of Pomerania's tax book, dated to 1413, do we have reports on the number of fiscal units in this area. For this reason most of our research into the medieval period has been oriented towards this material. The claim has been made that this can shed light on the size of the population and the growth of settlement at the beginning of the 15th century. What emerges from the tax-book data on this area, low population statistics and decidedly limited settlement, stands in sharp contrast to the data contained in sources from around 1540, i.e. high population figures and extensive settlement throughout the area. The conclusion must therefore be drawn that the population increased sharply (six-fold) during the 15th century and that settlement expanded in a similar fashion. With one or two exceptions, (L.-A. Norborg 1964, pp. 67 ff.; I. Jonsson 1971, pp. 292–307) this picture characterizes the surveys found in general syntheses of Swedish history and in works devoted to local or regional history.

The validity of this conclusion is dependent upon such factors as the comparability of various fiscal sources and, by extension, upon how much we know about the reality behind the terms used in these sources. These questions will be discussed below, with initial attention being given to the comparability issue from the standpoint of the basic principles. This requires a relatively detailed discussion of the source materials *per se*.

The *Tax Book* 1413 is only extant in the form of excerpts made during the 17th century from a copy[4] that was reportedly completed some time after 1540 at the initiative of Gustav Vasa. Both the original manuscript and the later

---

[2] The following conception of the written source material is essentially based on H. Sundström 1974. For further information regarding the source material in question, earlier research, and literature in this connection see the above-mentioned paper.

[3] The written source material is dealt with in more detail in H. Sundström 1978.

[4] The most complete of these excerpts, made by Johannes Bureus, has almost entirely been published by R. Hausen 1881 as well as by G. Klemming 1886. The excerpts have been published in facsimile by O. Bjurling 1962.

copy have disappeared long ago. Unfortunately, the extant excerpts appear to be a highly corrupted version of the original, but they are still our main source of information on the substantive content of both the copy and the original. Of primary interest in this context is the county list in the excerpts, which contains reports on the number of tax units in various parts of Sweden. For some of these districts we have access to a total tax figure and, at times, even a tax assessment per unit. There is no real uniformity to these tax units, as variations can occur from one district to another. In fact, different types of tax unit can exist side by side in one and the same district. Examples of such units include *gärder, sämjemän, läjemän, landbor, krokar,* and *rökar.* For the Tornio valley area only one type of tax unit is registered, namely the *rök* (herth, chimney). Common to all of these tax-unit designations is the difficulty encountered in interpreting their actual content and significance. In fact, the same can be said of the tax book as a whole. Earlier research has, of course, been well aware of the dubious nature of this source material, and attempts have been made to reconstruct its original form and content with the aid of the extant excerpts. In the process some clarity has been given to the tax book's original constitution, but no certainty has yet been achieved on the fiscal significance of the statistical material. Among other things, there is evidence of blatant statistical inaccuracies. Moreover, research has yet to establish whether the tax-book data cover the entire country or only specific areas. Another issue of contention is whether this is a register of actual tax collections or a projection of expected revenues, a cadaster. As this latter issue is judged to be of minor importance compared with the complex of problems that claims primary interest here, we will not purse the matter in this context. Suffice it to say, then, that the use of this tax-book material involves a host of complicated source-critical problems.

Compared with these tax-book excerpts, the cadasters or land registers of rent and revenue drawn up during the *1540s* by the official state-level administration offer material of an entirely different nature. These data from the offensive taxation measures introduced by King Gustavus Vasa in the late 1530s along with reforms aimed at efficient tax collection. These measures revoked the fixed tax assessments for region or district (*stadge- och sämjeuppgörelser*) from the Middle Ages and sharpened the function of the land registers. Northern Sweden was one of the areas in which this new tax structure had sweeping consequences. A relatively advanced system of land unit measurement now became the basis of tax collection, enabling careful projections of each individual's taxable revenues, and the royal bailiffs drew up detailed tax lists of the villages and inhabitants of these valleys.

The land register of 1543 contains the oldest extant material on Västerbotten from this tax assessment: individual farmers are recorded on a village-by-village basis along with explicit data on taxation. The above-mentioned register has been published by J. Nordlander (1905, pp. 274–298).

Summarizing, then, we can say that the tax-book excerpts and the land register of 1543 represent two different types of source material. The former are not preserved in the original version but rather *only as excerpts from a later copy.*

The latter, on the other hand, is a direct contemporary source whose formative origins are relatively well known. The same claim cannot be made in any definite fashion for either the original tax-book material or the 16th-century copy.

In other words, there is reason to ask whether these separate sources reflect the same type of phenomenon or the same segment of historical reality.

We are dealing on the one hand with a body of source material that a) is highly uncertain, and therefore difficult to interpret, and b) reflects the medieval taxation system, and on the other hand with a document whose main purpose was to abolish these medieval conditions, and which in itself introduced a new approach to fiscal efficiency, including more accurate records of the numbers of taxpayers. The land register of 1543 records taxpayers in nominative fashion, whereas the tax-book reports seem to consist of parish-level tax assessments (rounded off in whole numbers or tens) based on the number of *rökar* in the area.

To say that we have doubts as to the comparability of these source materials does not necessarily make us proponents of an unduly orthodox source-critical approach. The fact remains that this material is a poor basis of comparison regarding the population and settlement changes that took place during the 130-year interval between the two dates of origin (1413–1543).

On the other hand, we should recall that this particular study area is largely lacking in medieval source material. This explains the inevitable reliance of earlier reseach on the above sources, despite an awareness in certain cases of the deficiencies involved.

While objections can be raised to earlier findings on the above basic principles, much more needs to be said about the overall validity of these findings. Our interest here can focus on the interpretation of specifically relevant data from the tax-book material.

The Significance of the Concept of Rök in the Tax Book of 1413. As noted earlier, the tax-book data on *rökar* in this study area are compared with the *mantal* (fiscal tax unit) data found in the cadaster of 1543.[5]

	Rökar 1413	Mantal 1543
Tornio (Torneå)	30	287
Luleå-Kalix	120	592
Piteå	30	274
Skellefteå	60	369
Lövånger	20	148
Bygdeå	40	225
Umeå[6]		
	300	1 895

[5] For the following references to the tax book excerpts, see Burei Sumlen, ed. R. Hausen 1881, pp. 301–319.

[6] The tax book excerpts lack all information about the number of *rök* in the parish of Umeå.

Since the term *rök* in this table is defined in a manner comparable to the *mantal*, the statistical comparison indicates a significant population increase in this area during the intervening source period. In order to assess the accuracy of these results, we must be able to affirm that these two terms (*rök* and *mantal*) are analogous. Defining the latter is a relatively problem-free undertaking in this case, since one *mantal* can be expressed as the equivalent of a fiscally taxed farming household. The term *rök*, on the other hand, is considerably more difficult to define, although earlier research has, with only a few exceptions, accepted the equation *rök*=household. Lars-Arne Norborg and, more recently, Ingvar Jonsson, however, have criticized such an interpretation, although Norborg's objections are more generalized in nature (L.-A. Norborg 1964, pp. 67 ff.).[7] Jonsson, on the other hand, has questioned the concept within the framework of a fiscal model analysis and has advanced the theory that the number of *rök* in the tax book of 1413 is based on land taxation (I. Jonsson 1971, pp. 292–307). What follows below is a terminological discussion from somewhat different vantage points.

In order to evaluate the earlier interpretation of the term *rök*, an interpretation that has long been standard in research circles, *we do not necessarily have to extend our analysis beyond* the tax book excerpts. Up to this point research has not observed the fact that the excerpts do themselves contain data of relevance to another line of interpretation. One case in point concerns the *rök* data for one of the Finnish districts (Satakunta), where even fractions of a unit occur (837 1/2 *rök*). This in itself conflicts with the interpretation of *rök* in the tax book material as being synonymous with actual households, and would seem to indicate that the *rök* had a certain, qualified fiscal significance.[8] This assumption is reinforced once comparisons are made with other fiscal units in the tax book.

While the term *rök* is the only fiscal unit designation in the tax book for this area of northern Sweden, it is one of several recorded for certain Finnish areas. In Åbo county (*län*) and Satakunta, for example, the *rök* is used in parallel with the *krok*, while in the tax book of 1413 the latter are broken down into fractions such as 1/6 (Åbo *län:* 354 1/6 *krok;* Tavastehus: 555 3/4 *krok*). If one compares the respective tax assessments in *rök* and *krok* in Åbo *län* and Satakunta one finds that the former is approx. 25 % higher than the latter. If one works on the premise that tax assessment levels are a relatively adequate reflection of fiscal unit size, insofar as the taxation norms appear in the same documentary source, then the *rök* recorded in the tax book of 1413 must have been a larger fiscal unit than the *krok*. The comparative size of the *rök vis à vis* the *krok*, and in particular the recording of fractions of a *rök* indicate that its definition in the context of the tax book of 1413 must be a fiscal unit consisting of several taxpayers *and* quite probably several farming households.

One possible objection to the above argumentation is that our comments

[7] H. Svensson1961, unfortunately somewhat vaguely, questions the earlier conception of *rök*.
[8] E. Orrman 1977 *a* gives an up to date survey of the tax units *rök* and *krok* in Finland during the Middle Ages. See also H. Sundström 1974.

primarily concern areas of Finland where the *rök* appears in the tax book. It seems plausible, however, that a fiscal unit recorded in different sections of the same fiscal document would retain largely the same quantitative significance. The tax assessment per *rök* in 1413 is also about the same size, between 4 and 5 mark, in all areas where such taxation was levied in line with this tax book material. Moreover, both the present study area and the Finnish province of Österbotten were component parts of Korsholms county (*län*) in 1413. In other words, no administrative boundary existed at that time between this area and that which comprises present-day Finland. As a fiscal unit, then, the *rök* ought to have had approximately the same size and significance in 1413 wherever it appeared in the tax book.

I: 5. Summary

A critical analysis of the actual tax book data shows that these directly challenge the interpretation of the *rök* as being synonymous with a household. The above observations indicate that the use of *rök* in this tax book signifies a fiscal unit consisting of several taxpayers, i.e., conceivably several farming households. This, of course, has consequences for all research findings based on an incorrect definition of the term *rök*. It means, in other words, that the *rök* statistics in the tax book provide no support for the conclusions usually drawn by earlier research regarding population size and settlement expansion in areas such as the Tornio valley at the start of the 15th century. Written sources from the 14th century have been analyzed in another context to show that our conception of settlement development during that century must similarly be subjected to closer scrutiny, since the data contained in the written sources are not as concise and clear-cut as earlier research would have us believe (Sundström 1978).

II. Analysis of Place-Name Material[9]

II: 1

Earlier place-name research with reference to the Tornio valley has concentrated on a descriptive collection and presentation of place-name material and a superficial etymological classification. These efforts have not provided any very poignant theories on place-name derivations or the various factors behind their origins, however. Consequently, nothing has been achieved in the way of direct onomastic syntheses. The most serious shortcoming in this research lies in the biased and inadequate nature of the comparative material, which has endangered the validity of the etymological classifications. In working with

[9] The following conception of the name material is essentially based on Vahtola 1978, where further information may be found regarding the source material and literature.

place-name material, this research has not achieved any lasting results in the field of settlement history. At times it has done little more than accept conclusions on place-names made by historians with no linguistic training or experience. Such historians have frequently taken interest in and expressed their viewpoints on the settlement history of the Tornio River valley, although for the most part, their conclusions in this respect are based on a smalll number of written sources, whose validity is open to question, and specific place-name interpretations (concerning this criticism, see V. Nissilä 1968, pp. 54–63). Moreover, their overall assessments are frequently of a categorical but conflicting nature. Jalmari Jaakkola (J. Jaakkola 1924), for example, as joined later by Armas Luukko (A. Luukko 1954, pp. 38–71), maintained that the earliest population in the Tornio valley originated from Upper Satakunta, especially from the Pirkkala (Birkala) region, whereas Kustaa Vilkuna (K. Vilkuna 1969, pp. 20–41 and pp. 74–81) claimed that it came from southwestern Finland (Vakka-Suomi). Birger Steckzén (B. Steckzén 1964, pp. 32–128), meanwhile, has questioned the theory of Jaakkola and Luukko on the basis of a critical analysis of the same material. Steckzén himself, however, has advanced a rather strange interpretation of the Tornio valley place-name material, which in effect concludes that this early settlement was exclusively of Swedish origin. This, of course, is not supported by the place-name material, which is almost exclusively of Finnish derivation.

The outcome of existing place-name analyses, then, has been the advancement of various opinions on the origins of this river valley settlement, as expressed in general, comprehensive terms, while less attention has been given to the issue of *how* and *when* the settlement was established. Moreover, no use has been made of *systematic* place-name research in approaching this issue. Compared with the situation some decades ago, this type of systematic research affords us substantially greater possibilities of obtaining data of relevance to settlement history. This is essentially due to two factors, the availability of new source material and the development of more refined methods of analysis.

II: 2. Source Material

Due to systematic documentation efforts by the Finnish Place-Name Archives, collections of place-name data have grown sharply over the past few decades and now cover practically all Finnish-speaking territories. This enables researchers to use all relevant place-names in a given study area, in our case the Tornio valley, for the purposes of place-name analysis. It also gives greater substantiation to etymologies and interpretations, since any conceivable type of comparative material can be used for typological analysis. In connection with the present place-name study in the Tornio valley an overall place-name inventory was made that resulted in approx. 40 000 name cards.[10] These were

[10] Collections of *The Finnish Onomastic Archives* in Helsinki; Collections of the province of Norrbotten in *The Swedish Place-Name Archives* in Uppsala; Cadasters of Norrland/Västerbotten 1539–1620,

collected by field research and careful scrutinizing of various written sources such as fiscal records, court records, ecclesiastical registers, surveyors' documents and other cartographical material.

II: 3. Methods

In its own approach to settlement history, place-name research is no longer content with loose etymologies of specific names, nor does it search for appropriate similarities between place-names in order to support assumptions of settlement contacts (as regards methods, see e.g. V. Christensen, J. Kousgård Sørensen 1972, pp. 103–118 and pp. 163–226; Nissilä 1968, pp. 69–71). These methods were accepted earlier in light of the fact that the available source materials were limited in scope and often difficult to interpret. The development of typological place-name research and the cartographical place-name method, however, have raised the level of methodological awareness and stimulated a more comprehensive treatment of place-name material. Nowadays systematic study is devoted to the distribution of place-names, particularly prefix types, over the entire language area and to their age and location within the study area. Working without preconceptions or biases, such research attempts, wherever possible, to arrive at some understanding of these place-names from a purely linguistic standpoint. The results emerging from this are then evaluated in terms of the other source material, i.e. written documents, archaeological remains, geographical and topographical evidence, etc. It must be emphasized here, however, that suffix chronology cannot be used identically for Scandinavian and Finnish settlement names, since the latter place-name suffixes differ from the rest in terms of the chronological scope of suffix formation. Fortunately, the situation is somewhat different with respect to place-name prefixes, whose derivation and formative period can often be determined.

In light of the above, the various stages in the present place-name study on the Tornio River valley can be categorized in rough fashion as follows.

I. The oldest and, for our purposes, most valid material for the present purposes is sifted out from the mass of place-names on the basis of a critical examination. This material is then defined in terms of its original form, structure, etc.

II. The second stage involves etymological analysis of the place-names, constituent words and other component parts.

III. Typological analysis, the third stage, involves a determination of the place-name distribution on the basis of comparative instances from the entire language area. These linguistic methods are often supplemented by other non-linguistic approaches, this being especially true when dealing with one of the

The National Swedish Record Office; Maps from the great redistribution of land holdings, The Archives of the National Swedish Land Survey Board in Gävle and The Archives of the National Finnish Land Survey Board in Helsinki; The National Finnish Record Office in Helsinki; Judgement Books of the Tornio valley, The Microfilm Archives of the department of History in Oulu.

crucial problems in this field, namely dating. It is extremely difficult to categorize different name units and colonization elements on the basis of age. If, in other words, a relative dating of place-name material is complicated on linguistic grounds, the possibilities of reaching an absolute date solely on the basis of the place-names available are even more limited. Only in a few fortunate cases can the distribution of place-name types tell us something about their age. Consequently, place-name research must also make use of the following non-linguistic methods.

1. Parallel with linguistic place-name analysis, attempts are constantly made to draw conclusions regarding the determinative factors behind place-names in settlement history. Are there any basic historical premises, for example, behind the occurrence of certain name types, or names with a specific content, in northern Sweden?

2. Place-name interpretations obtained through linguistic analysis are subsequently integrated with written documentation from the limited array of medieval sources and with retrospective conclusions drawn from 16th-century fiscal material and 17th-century maps. Consideration is also given to archeological, palynological and ethnological findings, and to factors related to dialects, geography and topography.

Another methodological complication must be mentioned here before we discuss the direct results of the place-name study. This concerns the types of problematic conclusion that can be drawn from the presence of a stray place-name in relationship to its essential distribution area. This complication is probably of lesser significance in the context of the Tornio valley, as it can hardly be due to sheer coincidence that this area contains so many stray place-names representative of groups whose origins date far back in time and whose essential distribution areas lies in western Finland, in Satakunta and, primarily, in Tavastia (*Häme*). Having established this observation we can come to grips with the results of the place-name study. In so doing we find that it is possible to categorize the place-name stock of the Tornio valley in terms of at least six observable influences, originating from;

1) Western Finland (specifically Satakunta and Tavastia);
2) Karelia (Eastern Finland);
3) Scandinavia;
4) Germany;
5) Savolax;
6) The Lapps.

No exhaustive treatment of our research findings will be entered upon here, but something must be said about each of these categories of influence.

II: 4. Influence from Western Finland (Satakunta, Tavastia)

Features traceable to western Finland are clearly visible in settlement names and the names of natural phenomena throughout the Tornio valley. The origins of the earliest environmental place-name types lie almost without exception in the prehistoric hinterlands and settlement regions of Tavastia, in the interior of Finland. Clear indications of this are also found in other place-name material, settlement names, topographical phenomena and historical and folkloristic sources. The first colonizers of the Tornio valley were without doubt migrants from Tavastia. Certain name types present in the Tornio valley lead us to believe that this initial colonization took place as early as the Iron Age, possibly at the close of the Migration Period (600–800 A.D.) and especially during the Viking Period (800–1050 A.D.). Several types are of a surprisingly archaic character, with their only known counterparts to be found in the earliest areas of southern Finland to be colonized. Some of these archaic types have their origins in southeastern Tavastia, a prime example being the name *Tornio*, a complex that definitely represents the oldest place-name material in this river valley. These names of the form *Tornio* contain the primitive Scandinavian word for "lance" (*tornio*), which entered the vocabulary of the old Finnish language. The spread of such names as *Oulu* and *Matkus* indicates origins in southern and eastern Tavastia, and the same is true of many other ancient prefix types such as *Naara-*, *Kinturi-*, *Vekara-*, and *Keidas-*, all of which have some connection with a hunting culture. There are five ancient groups of environmental names containing the prefix *Reväs-* (see map) in the Tornio valley. Since the other *Reväs* area is located west of Lake Päijäne in Tavastia, there is good reason for connecting these two areas and also for assuming some type of settlement connection, as they can hardly be the product of sheer coincidence. The Tornio valley is also dotted with environmental names containing the prefix *Virka-* (over 40 such names or groups of names, see map 12), whose substantive content and origins are also connected with hunting cultures. These originate from the oldest parts of Satakunta and Tavastia.

Almost without exception, all of the earliest types of environmental name are found relatively far upstream, in an area bounded by Pello, Ylitornio (Övertorneå), Kainuunkylä (Helsingeby) and Kuivakangas, i.e. some 60–90 km from the coast, where none of these names appears to be in evidence. This gives us reason to assume that the earliest settlement arose in the Kainuunkylä area, which also has the strongest concentration of 16th-century settlement. In fact, there is much to substantiate this assumption. The natural resources of the Kainuunkylä area were extremely favourable to pioneer life, with naturally fertilized river plains, good salmon fishing, numerous lakes containing an abundance of pike, and convenient communication routes to the north, south and east. Moreover, the traditional boundary between the upper and lower stretches of the Tornio valley lies immediately south of the Kainuunkylä area, where there is also evidence of a shift in dialect. The same area also contains the earliest types of settlement names, including such villages as *Kainuunkylä*, *Päkkilä*, *Alkkula*, and *Ruskola*, all of which end in the personal-name qualifier *-la*. The great age of these place-names is indicated by the fact that none of the earliest types contain personal names of Christian origin. All of the primary village names in this area whose origins have been established refer back to

Satakunta and Tavastia. In other words, the connective link between this part of the Tornio valley and the Satakunta-Tavastia region is clearly substantiated by place-name material and is supported by several written sources from the 15th century which speak of contacts between the Tornio valley and Tavastland (REA N:o 269, ed. R. Hausen 1890; FMU IV N:o 2959, ed. R. Hausen 1881). As the southern distribution areas of these place-name types do not comprise one distinct region, the population in this section of the Tornio valley appears to have come from different parts of western Finland. There is no single area of western Finland, not even the Pirkkala area, that can be regarded as the source of this colonizing population (see also p. 256). Inasmuch as the western Finnish place-name material in the Tornio valley reveals different age levels, this particular colonization phase was presumably not one unique, continuous event, but rather has the character of a periodic settlement that took place in stages, beginning in the Viking Period and continuing throughout the Middle Ages and into the 16th century.

II: 5. Karelian Influence

Earlier research was unanimously of the opinion that Karelian expansion into the uninhabited territories of the north, which began the 12th century was also of importance for the rise of Karelian settlement along the coast of the Gulf of Bothnia. At the same time, however, this expansion was not assumed to have reached the Tornio River valley. An analysis of the local place-name material reveals a different situation, however.

While Karelian influence here is noticeably weaker than that of the people of western Finland and substantially weaker than its influence in the Kemi River valley, its presence is still clearly visible. This is especially true of farm and environmental names containing personal-name qualifiers, although the latter types of Karelian origin are not as old as the western Finnish stock in the Tornio valley. There are, in other words, clear Karelian influences here in terms of both settlement and environmental names. While characteristic of place-name material in almost all sections of the river valley, the influence is strongest in the estuary area, around the main village of Vojakkala. The name of this village is itself of Karelian origin, and its root contains the dialect word for "brother-in-law" (*Vojakka*), whose derivative area lies in the coastal regions of the Karelian isthmus. A large number of old environmental names or groups of names in this part of the Tornio valley stem from Karelian districts: examples include the roots *Karsikko*-(<*karsikko*="memorial or commemorative tree to a dead individual, to a good hunt", etc.), *Nilos* (<*nilos*=naked cliff (see map), *Lakkapää*-(<*lakkapää* 'broad top of a tree'), *Pisto*(<*pisto*="a little salmon trap"), *Puutikka* (<*puutikka*='path with snares', *Ryöpäs* (<*ryöpäs*="cairn"), *Vonka* (<*vonk(k)a*="still water in the river"). Many old farm and personal names in this area are also of eastern origin, such as *Teppola, Isto, Pajari, Piessa, Tano, Roma,* and *Prokko.* Since Karelian influences are particularly strong in the Vojakkala area, some form of concentrated settlement must have arisen on the site. In assessing the age of this settlement consideration must be taken of the land uplift factor, which amounts to about 1 m per century in the estuary of the Tornio River. This would suggest that the Vojakkala area was not inhabited until around 1 000–1 100 A.D., which coincides with the major period of Karelian expansion and with the height of the Karelian culture as a whole. Karelian influence also begins to appear in archeological material from northern Sweden at this time. Summarizing then, one can say that Karelian influences in the Tornio valley assumed such significant proportions that many Karelian features are retained in the Torne dialect.

II: 6. Scandinavian Influence

Scandinavian traits in the place-name stock of the Tornio valley are quite insignificant. They are discernible in only two regions, in the Kainuunkylä area and in a section near the coast that includes the islands in the Gulf of Bothnia beyond the river estuary. Some of the highest hills in the Kainuunkylä area have Scandinavian names, such as *Uksperi* (Oxberg), *Huitaperi* (Hviteberg), *Riisperi* (Risberg) and *Pukulmi* (Bockholm). The old alternative name for Kainuunkylä is *Helsingeby* 'village of the people from Helsingland'. Representative of the oldest place-name category, however, are the Scandinavian names of islands lying off the Tornio River estuary. These include *Sellei* (Sällön), *Trompsei* (Rompsön), *Uksei* (Oxön) and *Hurrei* (Furön). Scandinavian influence can also be traced, though even less frequently, in farm and personal names such as *Rauva* (Ragnvald), *Aasa* (Aase), *Poti* (Bote), *Kunnari* (Gunnar), and *Hulvasti* (Holmfast). As Gunnar Pellijeff has shown, some of the Tornio valley names are of Norwegian derivation, prime examples of which are *Anund* and *Ivar* (Pellijeff 1965, pp. 167–169 and p. 174).

II: 7. German Influence

Examples of German traits can invariably be found in the farm and personal names of areas around the estuaries of the northern Bothnian rivers. In Tornio the name *Gesth* appears during the 16th century (<gaest="German merchantman", "winter quarterer") and is retained today in the farm name *Kestilä*. Other examples from the same area are *Aarni(kka)*, *Kierikka*, *Frankkila*, *Tidikka*, *Kurttila*, and *Viinikka*. These names do not occur in any extensive fashion, however, and German influence is modest by comparison, presumably being the result of commercial contacts during the Middle Ages. A substantially stronger German influence is noticeable in the estuary of the Kemi River.

II: 8. Influence from Savo (Savolax)

Access to well-preserved fiscal material from the 16th century has enabled us to shed more light on colonization of the Tornio valley from Savolax during that century, specifically in the case of the latter decades, when easily identifiable Savolax family names begin to appear in the tax registers. Colonists from Savolax have been found to have settled both in the Tornio valley, thereby supplementing the existing population, and also to the north, i.e., beyond the northern-most 16th century village Pello. There is also evidence of colonization in the hinter-lands between the Tornio/Kalix and Tornio/Kemi River valleys.

II: 9. Lappish Influence

Vestiges of Lappish place-names together with a number of traditional sources constitute the only real source materials on the early history of this ethnic group in the Tornio valley. Unfortunately, it is difficult to draw any substantial conclusions from the extant place-names. While place-names of Lappish origin are scattered throughout the Tornio valley, and extend down to the coast, their distribution frequency increases, characteristically enough, north of the village of Pello and beyond the immediate confines of the Tornio valley. Their presence is primarily noticeable among environmental names, whereas only a few settlement names are of Lappish origin. Some of the latter, however, e.g. *Matarenki, Juoksenki, Karunki, Säivi* (Säivis), *Sangi* (Sangis), and *Kaakama* are among the oldest village names in the valley. A surprisingly large concentration of Lappish place-names is found along the coast to the west of the Tornio estuary and in the Vojakkala area at the very mouth of the river.

II: 10. Summary

A systematic study of the place-names of the Tornio valley gives a different picture of the area's settlement history from that provided by earlier research. Colonization here did not take the form of one uninterrupted in-migration of medieval settlers, all from the same area, but rather the establishment of a permanent population must be seen in terms of progressive stages of migration that continued throughout the Middle Ages and involved population elements from different regions. Evidence of this comes from the place-names and languages represented in this area, as categorized above in the form of different influence traits. Some of this material is too general and imprecise in character to allow any conclusions other than a) that an influence of this type does exist and b) that the population speaking these languages must also have played a part in colonizing the river valley. These characteristics hold true for the Scandinavian influence. As far as the Lapps are concerned, one can assume that they represent the original population of the area, but that they were superceded by later colonizers.

Observations relative to the settlement history can substantially be made on the basis of three distinct language influences, namely the western Finnish, Karelian, and Savolax dialects. The oldest element, represented by the influence of Tavastland is concentrated in the area around Kainuunkylä–Pello, which may conceivably represent the earliest settlement in the Tornio valley, and also predates colonization by immigrants responsible for the Karelian

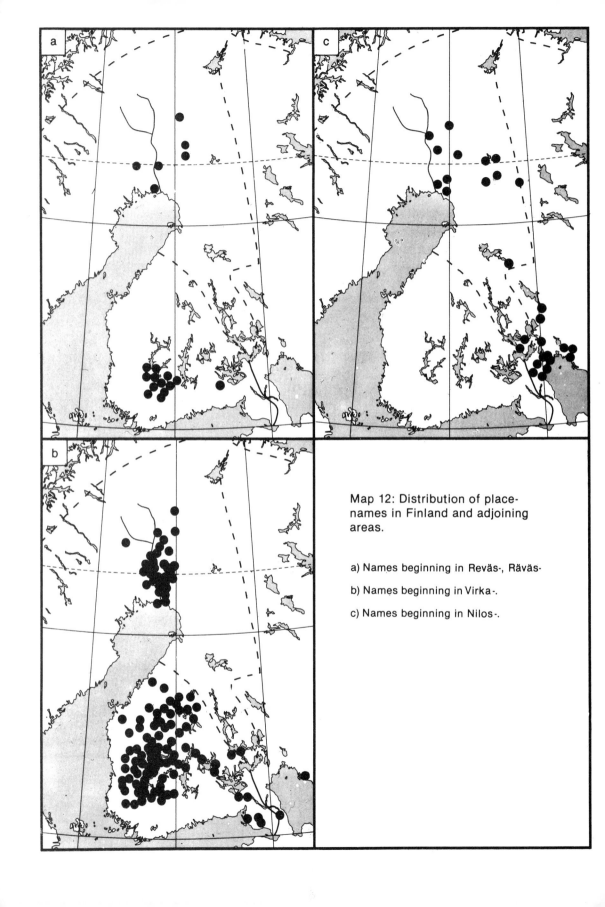

Map 12: Distribution of place-names in Finland and adjoining areas.

a) Names beginning in Reväs-, Räväs-

b) Names beginning in Virka-.

c) Names beginning in Nilos-.

influence. The latter influence is especially distinct in the lower part of the Tornio Valley, that which lies in the immediate vicinity of the river estuary. As this area emerged from the sea at a late point in time, and was probably not inhabited before 1100 A.D., at the earliest, it is likely that Karelian immigration to the Tornio valley did not occur prior to that time. Nevertheless, phenomena of political history indicate that this population movement must have taken place *before* 1300–1400 A.D., thereby coinciding with the major period of Karelian expansion, whose effects are known from other areas.

The western Finnish influence (from Satakunta), on the other hand, appears to have prevailed throughout the Middle Ages. This, in effect, is the only way one can interpret the linguistic remains of several different, early stages of western Finnish in the Tornio valley. Finally, the Savolax influence, can be directly traced in family names that appear in late 16th century written sources.

In this way the place-name material from the Tornio valley allows us to trace the area's settlement history from around 1000 A.D. up to the end of the 16th century.

III. Analysis of Archeological Material

III: 1

Over the centuries the abundance of fish and fur-bearing animals in the river valleys of northern Sweden has played a role in shaping the economic life of the permanent population—an economy in which hunting, fishing and farming were important components. It is only reasonable to assume that the transition from a seasonal hunting settlement to a permanent agrarian settlement evolved gradually and in stages. In this context the primary task of our research group has been to trace the evolution of the first permanent year-round settlement, primarily in the Tornio valley.

There is archeological evidence of human activity throughout the area now known as Upper Norrland many centuries before the birth of Christ.[11] These primitive settlements reached a high point around 2000 B.C., when intensive settlement appears to have taken place both in the Tornio valley and throughout northern Finland. Presumably contemporary with these developments are the remains of large settlements uncovered in the southern sector of the present study area. These finds indicate contacts with regions to the south, east and west. While these provide evidence of colonization in many of the river valleys of the area at that time, these settlements appear to have been hunting stations and not sites of permanent habitation.

For some as yet unknown reason a break occurs in the archaeological

---

[11] The following conception of the archeological research situation is based among others on I. Zachrisson 1976, I. Serning 1960, and H. Christiansson 1971.

material after this time and we have very little knowledge of developments in the area during the period immediately prior to and after the birth of Christ.

The burial mounds found along the coast of the Gulf of Bothnia probably date from the Bronze Age and in part from the Iron Age. During the centuries just prior to the birth of Christ there are traces of a Bronze Age culture containing eastern influences. This, however, was presumably introduced to the area by a migratory hunting people.

The first finds to emerge during the Later Iron Age (i.e. the Vendel and Viking Periods) are of hunting and forest-clearing implements, arrowheads and axes. Dating from the same period (600–1000 A.D.) are two burial mounds to the southwest of the Tornio valley (map 11, ad p. 247), the first remains that might be indicative of permanent settlement. One of the mounds excavated contained a shield boss and a single-edged sword, both datable to the above period. It is still far from certain, however, whether these mounds were the resting places of individuals who had settled in the area or only testimonials to an itinerant tradesman. Pollen analysis might prove instrumental in solving this question. Nevertheless these burial mounds do indicate that outside contacts existed at the time of their construction.

Some distance further south along the coast (see map) archaeologists have uncovered a hoard of silver from the 14th century, containing objects from such disparate areas as Norway, Russian Karelia and Gothland in Southern Scandinavia. This hoard is seen as an indication of the various spheres of contact enjoyed by northern Bothnia at this time, and it may even indicate the presence of a permanent population at the site during the same period.

Further south still, in the vicinity of the Pite River Valley, and situated several kilometres upstream, is the small locality called *Kyrkbyn*, which is of interest for medieval archeology.[12] Some excavations have been carried out here in connection with the present work.

In the light of observations on terrain elevation, the Kyrkby settlement must theoretically speaking have flourished from 1000–1200 A.D. up to the middle of the 14th century. In other respects, the excavations reveal the presence of a trading centre that apparently functioned as a meeting point between this river valley population and foreign traders.

Pollen analyses of material from this site show that this was an extremely fertile grazing area even prior to the 14th century. This fact, as well as traces of domestic metalworking, glass objects and stoneware vessels, indicate that the village Kyrkbyn was more than just a temporary market place or meeting ground for contacts to the east and south.

We have, in other words, abundant archeological evidence of man's prolonged presence in this area, and excavated finds reflect the various contacts that persisted over time with areas to the south, east and west. Particular note

[12] The Kyrkby excavation in its terminating and main stage has been led by County Custodian of Antiquities K. Lundholm at the museum of Norrbotten. The following conception of the Kyrkby excavation is essentially based on K. Lundholm 1978, pp. 94–105. See also H. Andersson 1977, p. 98.

should be made in this context of finds from Lappish sacrificial sites. It is from this perspective, then, that we are to view the new archeological finds from the Tornio valley.

In order to localize and delimit the respective excavation sites our task force made use of various methods of approach, primarily the following:

a) An attempt was made to establish the locations of the largest settlement concentrations in the river valley on the basis of the land register of 1543.

b) Interest was then attached to homesteads in these concentrations that had a long settlement tradition. Identification aids include cartographical material, written sources, place-names and, last but not least, local tradition.

c) Repeated field studies were undertaken at interesting sites, including inspection of the acreage at different seasons of the year, both prior to planting and during the growing season.[13] Metal detectors were used to trace possible stray finds.

d) The target sites and study areas were mapped with the aid of aerial photography—a technique which has recently involved the use of infra-red stereophotography.

e) These stray finds enabled us to narrow in on the projected excavation sites.

Application of these methods led to initial excavations in the following three localities (see map 11 p. 247).

1. *Oravaisensaari* is an island in the river adjacent to the village of Vojakkala, which was the centre of one of the larger settlement concentrations in the river valley during the 16th century. The island's natural resources were highly favourable to human habitation, and it was one of the best-known salmon-fishing sites in the entire river valley. The site has long been known to archeologists due to the discovery of a famous Late Medieval hoard of silver (Julku 1972). Excavations here began in 1973.

2. The village of *Kainuunkylä* lies in the centre of the second large settlement area that flourished in the river valley during the 16th century. The natural environment also made this a suitable place for human habitation, with the river forming a distinctive delta area, including a large number of islands that by tradition have been used for grazing and pasture land. Stray finds had been made in the village fields over several years prior to the actual excavations. Aerial photography disclosed one particular zone that stood out clearly from its surroundings. Excavations were started in 1975.

3. Immediately opposite Kainuunkylä, on the Swedish side of the river, lies the village of *Hietaniemi* (Hedenäset). The excavation site, adjacent to the present village church, is located on a peninsula that juts out into the river. The same type of natural environment is found here as in Kainuunkylä. Narrative traditions tell of an old Lappish market place and early settlement on this spot. This material, along with the discovery of certain ground-surface

---

[13] During the excavations a botanist continually took part with her analyses. See page 268 and the literature mentioned there. See also M. Hjelmroos 1975 and M. Hjelmroos 1976.

elevations resembling imbedded stone foundations, indicated that the site might be of archaeological interest.

A test dig was carried out in 1974, and subsequent excavations, begun in 1977, are still in progress.

III: 2. Oravaisensaari[14]

The first finds consisted only of recent material from the period 1600–1850, isolated medieval objects and sparse remains of nomadic Lapp activity. More interesting finds were made, however, at a later stage in the excavation. Apart from a richer find composition, these levels contained 20 or more substantial settlement constructions, including house foundations, wall bases and cellars. All of this material could be dated to the period 1400–1700, and the objects are comparable in character to finds made in Finnish fortifications and castles. Numerous fragments of Central European pottery have been uncovered, and it is quite possible that they represent the northernmost specimens of this pottery type known to date. Apart from house-hold commodities and convenience goods, the finds include such items of personal jewelry as simple finger rings, amber beads and brooches.

Summarizing, then, one can say that imported goods from Central Europe, the coast of the Arctic Sea, southern Scandinavia and possibly even Russia make an early appearance in this area during the transition between the Middle Ages and more recent times. Substantially older in character than the rest of these objects is a bronze brooch, unique in the whole of Northern Europe to date, that might with some reservations be dated to the Viking Period.

The analysis of this cultural material is still in progress.

III: 3. Kainuunkylä

Removal of the surface field growth revealed a large number of Medieval features, including a forge hearth nearly 1 000 years old, a cellar with a wooden floor, and a circular stone fire pit. Stray finds were made in the vicinity of each of these structural remains. One outstanding example consists of the charred fragments of wooden objects found at the bottom of the stone fire pit. Pieces of a richly decorated wooden rake have been dated by the Carbon-14 method to the period 1100–1300 A.D.,[15] and the same dating also holds true for the structural remains. The discovery of this rake is of special significance for the settlement history of the Tornio valley, as it indicates the presence of perma-

[14] The following conception of the Oravaisensaari and Kainuunkylä excavations is exclusively built on P. Koivunen 1977.

[15] The arduous work of preservation has been carried out by laboratory technician Karl Sandman at the laboratory of the department of History, Oulu University. That is where also the rest of the excavation finds has been treated.

nent, year round habitation, in which a rake would be used to gather in winter forage, during the 12th and 13th centuries.

Excavations at another site in the same vicinity uncovered a large number of structural remains, the latest of which date from the 18th century. The earliest, uniform group of finds here is from the 16th century, however. Other finds included remains of the nomadic Lapp culture, which indicate the site's intimate contacts with this ethnic group. Common to the settlements of both Oravaisensaari and Kainuunkylä is the unexpected abundance of objects recovered, amounting to some thousands and consisting of broken pieces or whole objects that can be characterized as lost items of personal property.

III: 4. Hietaniemi[16]

Among the fixed structures at this locality three graves are of primary interest, although none has been dated. Graves of a similar construction found in Karelia, however, have been assigned to the period 800–1200 A.D. Since two of the Hietaniemi tombs contain cremation burials, it is likely that they are also of relatively early origin. This presupposes, of course, that cremation can be regarded here as a pre-Christian feature. Cattle bones were found in the horizon *underneath* one of the graves, which indicates that permanent settlement existed in the area prior to the construction of the grave.[17] The presence of a market place is indicated by a series of objects, some of which reflect connections with finds from Lappish sacrificial sites. Remains of iron smelting (clinkers, etc.) suggest a type of specialized production, which in turn almost presupposes some form of commercial trade.

Excavations here have also uncovered abundant quantities of flint. Preliminary micro-fossil analysis shows that this flint comes from the eastern sections of the nearby chain of mountains and was presumably brought to Hietaniemi by nomadic Lapps.[18]

The present range of finds can be divided into two main categories. The first consists of early material that shows traces of eastern influence, whereas the second is of a later date and gives evidence of southern influence, with parallels in southern Baltic regions. The same characteristics can also be noted in the case of the fixed structures. In one instance a grave of Karelian type has been destroyed by another construction, itself dating back to around 1300 and containing objects indicative of a southern origin. This re-orientation of cultural contacts has also been observed in other contexts.

---

[16] In charge of the Hietaniemi excavation is antiquarian Thomas Wallerström at the museum of Norrbotten. The following conception of this excavation is essentially based on T. Wallerström (MS).

[17] Osteological analysis of part of the bone material has been carried out by Ph. D. Elisabeth Iregren at The Swedish Central Office of National Antiquities in Stockholm (Skå No. 1075/Vb).

[18] The micro-fossil analysis has been carried out by Ph. D. Sven Laufeld at The Geological Survey of Sweden, and the result was given orally to T. Wallerström in February 1979. Provenance determination of flint through micro-fossil analysis has been carried out by H. Tralaw 1973 and L.-K. Königsson 1973.

III: 5. Summary

As a consequence of land uplift in the area around the Gulf of Bothnia, the lower sections of these northern river valleys have continued to increase in elevation over the centuries, and new land areas are still being added along the coast and river estuaries. It would be only natural to expect the establishment of an early farming population in this area due to the fertile soil conditions and favourable drainage possibilities. Nevertheless, archaeological investigations have been limited in scope. Most of our efforts have concentrated on land development excavations in connection with power-station construction in the upper reaches of the river valleys. As a result, these excavations have primarily uncovered remains from hunting cultures. Moreover, as indicated in our introductory comments, the area under investigation encompasses a vast geographical area, which complicates attempts to achieve a fine-meshed archaeological inventory.

The selection of Oravaisensaari, Kainuunkylä, and Hietaniemi as archaeological sites was based exclusively on scientific considerations. Also, all three areas are located in the lower section of the river valley. The results of these excavations substantially enrich the picture of the settlement history of the area obtained on the basis of the overall range of archaeological finds.

Several thousand years ago this area had already been settled by hunting communities that had extensive contacts with other regions, as exemplified by the sizeable import of flint from southern Scandinavia. The burial mound at Sangis may be a sign of permanent habitation during the early Viking Period. In any case, when seen in combination with the coins contained in finds from the Lappish sacrificial sites, dated to the period 900–1300 A.D., it does indicate that the area retained extensive contacts with other regions. The Kyrkby excavations in the lower section of the Piteå valley show that a trading centre was established here perhaps as early as the 12th century and flourished well into the 14th. The discovery of a hoard of silver on a site approximately halfway between the Pite and Tornio River valleys indicates the existence of a trading settlement at a date no later than the early 14th century. *In the Tornio valley* the Kainuunkylä finds reveal that settlement of a permanent, year-round character was established by 1000–1100 A.D., and results from the Hietaniemi excavations, which are still in progress, would point in the same direction. Further downstream, the Oravaisensaari excavations have uncovered the remains of a large farm dating from the 15th century. Habitation of the site has continued up to the present day.

IV. Analysis of Pollen Material[19]

As the palynological studies carried out in the Tornio valley have been directly integrated with the archaeological excavations, Oravaisensaari and Kainuunkylä have served as the sampling sites. Reference samples have also been taken from two small lakes, each located approx. 10 km east of the main sites. The presence of pollen at different levels in the soil samples allows us to detect environmental changes at each site.

At a lake in the vicinity of Kainuunkylä we found distinct remains of hunting cultures (hunting and fishing) from 3000 B.C. The presence of plantains (*plantago*) and nettles, along with other cultural indicators, point to the existence of a seasonal hunting site which, if not permanent in nature, was at least frequented by human communities over long periods of time. The site appears to have been permanently inhabited by around 2500 B.C. The decline in birch pollen frequency together with a simultaneous increase in fireweed indicates the use of fire in forest clearance and the beginnings of agriculture, with the first traces of cereal pollen accurring at this particular level.

During the period 1600–400 B.C. human activity maintained a substantial impact on this cultural landscape, as recorded in pollen diagrams from the entire northern coastline of the province of Österbotten.

The pollen diagram from one locality, situated a few hundred metres from the site of archaeological excavations in Kainuunkylä, shows distinct signs of human activity by the first millenium A.D. This diagram indicates that an extensive spruce forest existed simultaneously with a large cultivated area devoted to rye and other cereal species. Cereal pollen occurs here in surprisingly high concentrations, such as 10 % of the NAP sample (2–3 % is common in farming districts). Toward the end of this period the pollen of hops makes its appearance, and one can assume that this crop was used in the production of household beverages. Traces of farming activity subsequently diminish, however, and the pollen composition indicates a transition to livestock production. There are also signs of a climatic deterioration. Crop production moved closer to the river at this time, where the site now occupied by the village of Kainuunkylä appears to have developed its first permanent settlement around 1000–1100 A.D. Having burned down the forest along the river banks these early colonizers immediately began to use the new land for farming.

Land uplift and the accompanying drainage process in the lower sections of the river valley are likely to have encouraged land reclamation on the part of this population. In fact, just such a process can be traced in the pollen diagrams from the area.

The first cultural indicators in the pollen diagram from a lake in the vicinity of Oravaisensaari date from 300 A.D. At that time the site must have been part of an island group, although today it is located a mile or so inland from the

---

[19] The following conception of the pollen-analytical examinations in the Tornio valley is completely built on M. Hjelmroos 1978. See also literature mentioned in note 13 above.

coast and the river. At any rate, these initial cultural indicators show that forest had been burned to create grazing areas and that the site was periodically occupied by hunting communities.

The island of Oravaisensaari was probably not completely drained until around 1000–1100 A.D. but was then immediately appropriated for grazing and limited rye production. Human activity on the island is particularly noticeable from the 12th century onwards, although it diminishes to some extent after the initial cultivation phase during that century.

These palynological studies have proved of particular interest in the context of the vegetational history of the area, as they contradict previous assumptions to the effect that rye production in the Tornio valley predated the introduction of oats and corn by several centuries. Climatic conditions here were generally unfavourable for any type of wheat production, however.

In this way the pollen material can show that colonization and settlement in the Tornio River valley, which has only recently been documented in written sources, actually has a much longer history than we have been led to believe.

V. Summary

The Research Group on the Early Settlement History of the Tornio River valley has operated as a team, in which representatives of different disciplines have worked side by side and analyzed their own specific material using their respective methods. At the same time, however, the emerging results were intended to illustrate a common issue, namely the early settlement history of the river valley.

Analysis of the written source materials has shown that a different interpretation must be advanced for the data they contain. Previous research maintained that no real, permanent settlement was established in the Tornio valley prior to the 14th century, but that colonization subsequently took root and entered an explosive phase of development during the following century. This line of interpretation has long been standard in research circles, and as a result it has misled all historical settlement studies connected with the area.

As summarized in the preceding pages, our present findings show that there is no support for this earlier interpretation, and they thereby enable other research to view this settlement from entirely new vantage points.

Analysis of linguistic evidence remaining in place-name material indicates that colonization of the Tornio valley began gradually somewhere around 1000 A.D. and evolved in successive stages throughout the Middle Ages. In other words, it did not suddenly explode on the scene at the end of the Middle Ages as previous research would have us believe. A rough, relative place-name chronology gives evidence that the colonizers of the valley also were bearers of language-influences and that these influences were derived from different areas and were introduced at separate points in time.

Analysis of the archaeological material indicates that agricultural settlement existed in the Tornio valley by the 12th century at the latest. Remains of a trading centre in this river valley date from the same period. This same material also indicates that colonization developed at a gradual pace and began long before the advent of written source materials.

Pollen evidence shows that the development of a cultural landscape in the valley has its roots in the remote past, and that a farming economy based on cereal and livestock production evolved long before written source materials provide any documentation on permanent settlement. From the start of the 12th century the Tornio valley was constantly populated by people who cleared their own fields, sowed their own cereal crops, and were occupied in livestock production.

Summarizing these results, we can see a new picture emerging of the early settlement history of the Tornio valley. Though still fragmentary in nature, it has already revealed some of the major characteristics.

Studies using different types of material and incorporating different methodological approaches yield an unequivocal result: permanent settlement in the Tornio valley arose well in advance of the date assumed by prior research, and the colonization process evolved, slowly but steadily, in a series of stages.

Our findings are naturally of primary relevance to developments in the Tornio valley, but when seen in combination with a number of interesting results from other districts around the Gulf of Bothnia, they still constitute substantial grounds for re-evaluating our understanding of what took place in this region as a whole.

The results of palynological work carried out on sites along the northern coast of the province of Österbotten fit well into this new pattern. The same holds true for results from another research project entitled "Early Norrland", which incorporates pollen-analysis on localities at the extreme southern edge of the present area (R. Engelmark 1976, O. Zackrisson 1976; P. Huttunen, M. Tolonen 1972. See also Königsson 1970).

Here, too, there is evidence of a very early appearance of cereal pollen. An agrarian revolution appears to have occurred during the Viking Period, one which in terms of its initial magnitude and subsequent duration opened this cultural landscape to human activity.

It is also precisely at this time that implements used in hunting and forest clearance appear on a much wider scale in archaeological excavations.

In other words, what these studies reveal in terms of cultural landscape development stands in direct opposition to the interpretation advanced by previous research on settlement history. It must be stressed, however, that the spatial representativity of these pollen findings is highly limited. While this limitation applies to all results obtained from a sample area, as, for example, the results of archaeological and palynological studies, it acquires special significance in study areas comparable in size to that explored by the present research group.

In order to achieve representative palynological results from the entire coastal section of Upper Norrland we would require such a large number of sites that our objective would be judged as entirely unrealistic.

On the other hand, it is exceptionally interesting to note that results of pollen studies conducted in the southernmost and northernmost parts of this area, as well as along the Finnish coast of Österbotten, point in the same unequivocal direction: that permanent farming settlement has existed along the northern coasts of the Gulf of Bothnia at least from the 11th century and continuing up to the present era.

As mentioned earlier, the results of archeological excavations in different parts of this area also fall into this new pattern, although much remains to be explored before the minute details emerge in sharp focus. At the same time, however, substantial light has been shed on the basic outlines, thanks to the type of international and interdisciplinary research described in this report. While this research has primarily benefited our knowledge of the early settlement history of the Tornio valley, it has also opened new perspectives on settlement history throughout the northern areas of the Gulf of Bothnia.

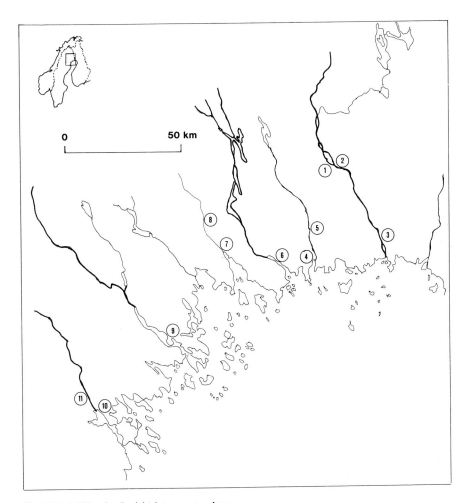

Fig 9. Medeltidsarkeologiskt intressanta platser.

1=Hietaniemi (se s. 95 samt fig 4)
2=Kainuunkylä (se s. 94 f)
3=Oravaisensaari (se s. 94)
4=Sangis-högen (se s. 92, 96)
5=Espinära-högen, Nederkalix socken (se s. 92, 96)
6=Kalix medeltida kyrka
7=Töre-skatten (se s. 92 samt fig 12)

8=Gravrösen, Långsel, Töre socken (se fig 11)
9=Gammelstad medeltida kyrka, Neder-luleå socken (se s. 38 f samt fig 6, 10)
10=Öjeby medeltida kyrka och klocktorn (/kastal?), Piteå socken (se s. 38 f samt fig 12b)
11=Kyrkbyn, Piteå socken (se s. 92, 96)

Fig 10. Gammelstad kyrka, Nederluleå socken. Kyrkan, som är en av de största medeltidskyrkorna norr om Uppsala, är förmodligen anlagd under 1300-talets slut eller i början av 1400-talet dvs. vid den tid då hela Luleå socken enl. tidigare forskning antagits rymma endast 120 hushåll. – (Bildarkivet, Norrbottens museum)

Fig 11. Gravrösen, Långsel, Töre socken. De nyligen upptäckta rösena har preliminärt daterats till järnålder–tidig medeltid och tyder på mycket gammal, fast bosättning i trakten. – (Foto: Sten Wikström. Bildarkivet, Norrbottens museum)

Fig 12. Töre-skatten, som av för oss okänd anledning gömts i jorden någon gång under 1300-talet. Föremålen, varav en del daterats till 1100/1200-tal, vittnar om kontakter med Norge (dräktspännet med figurplattor), Gotland/Sydskandinavien (dräktspännena med händer) och Ryssland/Karelen (hängsmycket i bildens mitt). Töre-bygden var inte isolerad. – (Foto: ATA. Ur SHM:s samlingar, inv.nr 15507)

103

Fig 12b. Det märkliga kastal-liknande klocktornet i anslutning till Öjeby medeltida kyrka, Piteå socken. Tornets placering i förhållande till kyrkan tyder på att det är äldre än denna, vilken förmodats vara anlagd på 1410-talet. Därmed skulle tornet vara Norrbottens äldsta bevarade byggnad. – (Foto: Thomas Wallerström, Norrbottens museum)

104

»Gamla stränder finns ej mer . . .»

Reprint av s. 91—117
ur *Faravid* 4—80

Hans Sundström

"Gamla stränder finns ej mer..."

Om nordbottnisk bebyggelsehistoria i ett teknologiskt perspektiv

I Inledning

Arbeter inom "Forskningsgruppen för Tornedalens äldre bosättningshistoria" har nu pågått i över sex år.[1] Utan att låta oss hindras av våra nationella eller ämnesspecifika begränsningar, finska och svenska, har vi arkeologer, namnforskare, paleoekologer och historiker gemensamt kunnat angripa de problem som är förenade med nordbottnisk bebyggelsehistoria och då speciellt Tornedalens. Den äldsta bebyggelseetableringen har kunnat tidigareläggas med åtskilliga hundra år, och de kolonisationsströmmar som nått Tornedalen har kunnat kartläggas och fastställas till sitt ursprung.

Vi har också fått en första aning om de tidiga inbyggarnas liv ur olika aspekter som t.ex. födoanskaffning, redskapstillverkning och begravningsseder samt även kontakterna med omvärlden. Det skall dock betonas att det i detta sammanhang verkligen endast rör sig om en aning.

Gruppens verksamhet hittills har således medfört resultat som väsentligt ökat vår kunskap om hela det bottniska områdets äldsta historia, och speciellt då dess innersta del — Tornedalen.[2]

Samtidigt har under senare hälften av 70-talet intresset för Nordbottnisk bebyggelsehistoria fått allt bredare förankring och tagit sig allt mångtaligare uttryck. Till största delen har väl detta samband med att verksamheten vid Uleåborgs resp. Umeå Universitet nu på allvar kommit igång inom detta område.

För några år sedan hölls t.ex. vid Uleåborgs Universitet en konferens som hade Maupertius expedition till Tornedalen som utgångspunkt, men i själva verket kom att beröra hela älvdalen som forskningsobjekt. Vid Umeå Universitet hölls något år senare, 1978, en konferens under den samlande rubriken "Nordskandinavisk historia i tvärvetenskaplig belysning".

Uppläggningen av det s.k. Lule älvs-projektet har hitintills varit känd endast ryktesvis, men de inledande planeringstankegångarna har nu tacknämli-

[1] Föreliggande framställning är en lätt omarbetad version av ett föredrag som hölls av förf. vid forskningsgruppens möte i Rovaniemi den 5-6 sept. 1980.
[2] Se t ex, H. S u n d s t r ö m, J. V a h t o l a & P. K o i v u n e n, The Earliest Settlement in the Tornio River Valley. An Example of Interdisciplinary Research (Excursus in Desertion and Colonization in Scandinavia 1300-1600. Under tryckning 1980) samt där anförd litteratur.

92

gen kommit i tryck.[3] Det blir minst sagt spännande att följa den empiriska prövningen av de hypoteser som antyds inom de föregivna analysramarna.

Mot bakgrund av det här skisserade forskningsläget och med tanke på den kunskap som forskningsgruppens personella resurser representerar är det alldeles tydligt att gruppens verksamhet inte befinner sig i ett avslutande stadium. Tvärtom bör de uppnådda resultaten ses som starten till något nytt, en grund som vi i fortsättningen skall bygga vidare på. Som underlag för en diskussion kring planeringen av denna fortsättning skall jag här nedan mycket lösligt skissera *ett* perspektiv utifrån vilket den fortsatta forskningen skulle kunna bedrivas.

Hitintills har vårt bebyggelsehistoriska engagemang i främsta hand varit inriktat på bebyggelsetableringens kronologi och allmänna förlopp. Vi har i mindre grad hunnit intressera oss för frågan om hur kolonisatörerna fann sig tillrätta i det land och den natur som blev deras. Vi har bara i förbigående berört alla de problem som är engagerade i samspelet mellan Natur och Människa. Detta perspektiv har i viss mån redan anlagts inom tidigare forskning såväl rörande här aktuellt område[4] som överhuvudtaget i samband med att agrara ekonomier diskuterats.[5] Det är därför inte förvånande att det även förekommer i periferin av sådana syntetiska framställningar som Ingrid H a m - m a r s t r ö m s "Finansförvaltning och varuhandel" 1504—1540 eller Erik L ö n n r o t h s arbete om Sveriges medeltidsfinanser "Statsmakt och statsfinans i det medeltida Sverige" samt framförallt i ett sådant arbete som Eino J u t i k k a l a s "Bonden i Finlands historia". Dessa tankegångars roll inom begyggelsehistorisk forskning har på senare tid mestadels ändrats. Från att ha varit antydningar har de nu ofta programmatiskt lyfts fram för att bilda utgångspunkt för hela undersökningar. Således har t.ex. nyligen Sven-Erik Å s t r ö m anlagt ett renodlat ekologiskt perspektiv på Finlands ekonomiska historia.[6] Åtskilliga andra exempel på denna undersökningsinriktning skulle

---

[3] Se presentationer av Evert B a u d o u och Phebe F j e l l s t r ö m i Människan, kulturlandskapet och framtiden (Föredrag och diskussioner vid Vitterhetsakademiens konferens 12-14 februari 1979, Stockholm 1980), ss. 269—278, 293—300.

[4] Se t ex arbeten av Gerd E n e q u i s t, Erik B y l u n d, Hugo T e n e r z, Gunvor K e r k - k o n e n, m fl samt framförallt uppsatser av skilda författare i samlingsvolymerna Hunting and Fishing (Norrbottens Museum 1965) och Ecological Problems of the Circumpolar Area (Norrbottens Museum 1974).

[5] Några svenska exempel bland många är arbeten av historiker som Lars-Olof L a r s s o n och Lars-Arne N o r b o r g samt den forskning som bedrives inom ramen för Det Nordiska Ödegårdsprojektet med arbeten av bl a Jan B r u n i u s, Ole S k a r i n, Eva Ö s t e r b e r g m fl. Andra exempel utgör företrädare för den kulturlandskapshistoriska forskning som bedrives vid Kulturgeografiska inst. vid Stockholms Universitet (den s k Hannerberg-skolan).

[6] S.-E. Å s t r ö m, Natur och Byte. Ekologiska synpunkter på Finlands ekonomiska historia (Ekenäs 1978).

kunna nämnas.[7] Jag avser dock inte att här ta upp dessa till diskussion. Min avsikt är i stället att påpeka och förhoppningsvis kunna exemplifiera det fruktbara i att vi mer energiskt inriktar oss på frågan om hur naturresurserna och den mänskliga aktiviteten har påverkat *varandra* i det område som vi tidigare undersökt ur något andra synpunkter.

Förmodligen är en oöverskådlig mängd faktorer aktiverade i samspelet mellan natur — människa. Som sökmedel i denna komplicerade mångfald har jag härnedan valt att studera tekniken och teknikförändringarna. Jag vill poängtera att jag härigenom inte tagit ställning till *vilken specifik betydelse* tekniken har i detta sammanhang.[8] Det kan i varje fall konstateras att i samband med resursutnyttjandet intar tekniken en nyckelposition, och det motiverar dess roll som studieobjekt här nedan.

Först skall dock de teoretiska utgångspunkterna diskuteras. Därvid sker en positionsbestämning i förhållande till övrig forskning på området genom att operationella definitioner görs av några i sammanhanget centrala begrepp. Samtidigt skisseras en tänkbar analysram. De anförda tankegångarna konkretiseras därefter genom empiriskt förankrade exempel. Detta sker huvudsakligen mot bakgrund av en bebyggelsehistorisk skiss, vars linjer dragits upp på basis av de resultat som forskningsgruppens verksamhet hittills medfört.

Exemplen är visserligen improvisatoriskt valda men kan tidsmässigt mestadels hänföras till tiden före 1600 e.Kr., även om en del av exemplen gäller senare tiders förhållanden.

---

[7] Närmast i åtanke är D. G a u n t, Familj, hushåll och arbetsintensitet (Scandia 42. 1976/1) ss. 32—59, samt arbeten av etnologen O. L ö f g r e n t ex Family and Household among Scandinavian Peasants. An Exploratory Essay (Ethnologia Scandinavica 1974), ss. 19—52 eller samme förf., Peasant Ecotypes. Problems in the Comparative Study of Ecological Adaption (Ethnologia Scandinavica 1976), ss. 100—115 samt samme förf., Potatisfolket levde av nästan ingenting (Forskning och Framsteg 1977/5-6), ss. 23—29. Se även den efterföljande debatten kring Gaunts ovannämnda uppsats: S. Å k e r m a n, Människor och Miljöer (Scandia 44. 1978/1), ss. 114—144, samt D. G a u n t, Människans villkor: replik till Sune Åkerman om ett ekologiskt synsätt (Scandia 45, 1979/1), ss. 133—146.

[8] Teknologins betydelse vid analys av det äldre nordiska agrarsamhället har bl a diskuterats i en rad artiklar i Norsk Historisk Tidskrift årg 1976: J. S a n d n e s, Teori, modeller og empiri (NHT 1976/1), ss. 1—27, E. Ö s t e r b e r g-S.T v e i t e-K. L u n d e n, Kvantitative og teoretiske studiar i eldre norsk bondesoge (NHT 1976/2), ss. 222—260 samt K. L u n d e n, Merknader om empiri og modellar i historiegranskinga (NHT 1976/4) ss. 385—404. Samma problem diskuteras i Studier i historisk metode 15 (Oslo 1980) av. E. P o r s m o s e, Bondesamfund og rigsdannelse — driftsmåder og samfundsorganisation i middelalderens Danmark (ss. 54—73), I. S k o v g a a r d - P e t e r s e n, Kommentar til Porsmose (ss. 74—76) samt K. L u n d e n, Kommentar til Porsmose (ss. 77—81). Se även E. Ö s t e r b e r g, Förändring och anpassning i det förindustriella bondesamhället. Ett svenskt 1500-talsexempel (Historia från 1970-talet. Red K. Åmark. Under tryckning 1980).

II Utgångspunkter

II: 1 Rumslig avgränsning

Älvdalarna i området kring norra bottnen brukar vanligtvis delas upp i tre sinsemellan olika miljöer/regioner: Kustbygden — Skogslandet — Fjällregionen.[9]

Kustbygden i de flesta älvdalarna, undantagandes Tornedalen, anses då ha rent agrar miljö och helt svensk struktur, i varje fall under 1500- 1600- och 1700-talen. Där är bebyggelsen fast organiserad, byformerna tidigt utvecklade och sädesodlingen utbredd.

I kontrast härtill står fjällregionen med sin till stor del samiska miljö, där näringslivet karakteriseras av den nomadiserande renskötseln. Skogslandet representerar då en blandform mellan dessa båda ytterligheter.

Denna grova regionindelning blir naturligtvis meningsfull endast i samband med vissa problemställningar och på vissa undersökningsnivåer. Bland en mängd faktorer har således inriktningen av vissa av dem — etnisk tillhörighet, näringsinriktning, social organisation etc ansetts vara viktigare än andra som särskiljande kriterium vid en regionindelning. Mot denna bakgrund har sedan varje region klassificerats utifrån de dominerande dragen hos dessa faktorer.

Detta utesluter givetvis inte förekomsten av t.ex. fångstnäringar inom en i övrigt huvudsakligen av sädesodling dominerad miljö. Man kan ytterligare problematisera denna regionindelning genom att påpeka den hänsyn som också måste tas till förhållandet inom varje region mellan den centrala bygden och regionens periferi-utmarkerna. Uppvisar de senare samma karakteristika som regionen i övrigt? Vid en undersökning av t.ex. resursuttagets former på hushållsnivå blir den refererade regionindelningen näst intill meningslös. Framförallt kan vi konstatera att den inte är särskilt tillämpbar på Tornedalen.

Alla dessa besvärligheter leder emellertid fram till preciserandet att vi utifrån vår speciella problemställning måste ha olika kriterier för rumsliga avgränsningar vid olika undersökningsnivåer. Eftersom vår ambition i första hand är att få kunskap om den här utvecklingen på generell nivå behövs ingen annan avgränsning än att vi kan ta hela Tornedalen som rumsligt studieobjekt. Att områdets älvdalar alltid varit från varandra ganska åtskilda bygder kommer då att underlätta jämförelser med t ex Lule älvdal, vilken senare då

---

[9] Se senast P. F j e l l s t r ö m, a.a. Beträffande problem kring regionindelning jfr med den ovan i not 7 omnämnda debatten mellan G a u n t och Å k e r m a n.

också måste ses som en helhet just i detta sammanhang. Om vi vill göra mera detaljerade undersökningar och jämförelser får vi även göra andra rumsliga avgränsningar.

II: 2 En positionsbestämning

Avgränsningsproblemen fördjupas ytterligare av att kolonisationsskedet, av allt att döma, varit mycket utdraget. Kolonisatörens/bondens årsrytm har länge kännetecknats av mångsyssleri, d.v.s. många olika former av resursutnyttjande. På många ställen i älvdalen och ofta inom ramen för samma hushåll har förmodligen dessa former existerat sida vid sida. Endast långsamt har dessa förhållanden förändrats. Kunskap om detta förändringsförlopp kan således endast nås i en undersökning med ett långt tidsperspektiv. Endast då kan vi lyckas förstå dynamiken i det system vari resursutnyttjandet ingår som en del.

Här anser jag det viktigt att göra en positionsbestämning beträffande de två numera allt mer flitigt använda begreppen "ekotyp" resp. "ekosystem".[10]

Jag definierar det förra som ett delbegrepp av det senare.

Ekotypen som ett av betraktaren skapat analysinstrument är begränsad till innehåll och rumslig utsträckning samt i viss mån isolerad. Den har ett starkt statiskt drag och är ett vid en viss given tidpunkt gjort utsnitt av ett ekosystem vid ett givet stadium av dettas utveckling. Ekotypen är ett snapshot av ett ekosystem i ständig förändring.

Jag skall nu övergå till att försöka fylla det senare begreppet med definitoriskt innehåll, eller snarare kanske skissera konturerna av en analysram.

---

[10] Jfr hur "ekotyp" och "ekosystem" uppfattas av G a u n t resp. Å k e r m a n i de ovan i not 7 nämnda artiklarna. Jfr även O. L ö f g r e n s definition av ekotyp som "different patterns of ecological adaption and household economy under the same macro-economic framework or system of production" (Ethn. Scand. 1974). Den amerikanske socialantropologen Eric R. W o l f definierar ekotypen som ett system av energiöverföring från omgivningen till människan. Peasants (1966), s. 19, sv uppl Bönder (1971), s. 34. Det synes inte råda någon enighet om hur begreppen skall definieras. I föreliggande framställning har begreppen operationellt definierats. Den uppfattning av begreppet "ekosystem" som kommer till uttryck nedan i kap. II:3 torde ligga mycket nära den som av D. G a u n t (Sc 1979/1), s. 136 benämns "kulturella ekosystem" i den variant som kallas *adaptive dynamism.*

II: 3 En tänkbar analysram[11]

Som redan påpekats har människans vistelse i naturlandskapet i hög grad omgestaltat detta, varvid de mest iögonenfallande och dramatiska förändringarna har ägt rum under de allra senaste århundradena. Det har dock blivit alltmer uppenbart att markutrymmet med dess innehåll av materia och energi är en ändlig tillgång. Ett område kan sålunda beskrivas som resultatet av växelspelet mellan områdets tillgångar och dessas utnyttjande.

Förekomsten av en naturresurs kan styra mänskliga ageranden, men valet av handlingsalternativ, t.ex. typ av resursutnyttjande, påverkar också naturmiljön. Denna feed-back-effekt är liksom dynamiken — förändringen viktiga att studera om en förändring, där människan deltar som aktör, skall kunna betraktas i ett ekologiskt perspektiv.

Det måste betonas att de ekologiska processerna inte är några kretslopp i den betydelse att de är statiskt repetativa. De kan i stället karakteriseras som anhalter i en ständig dynamik med eller utan människans närvaro, *men* människan kan drastiskt styra inriktningen av denna dynamik och hastigheten i dess förlopp.

Naturarrangemangen — ekosystemen (i mer inskränkt biologisk mening) hade förstås utvecklats även om människan saknats, eftersom förändringarna finns inbyggda i ekosystemens funktion. Denna förändring är lagbunden och kan med rätt stor säkerhet förutsägas. Oberäkneligheten kommer i och med att människan byter roll och från att ha varit en del av ekosystemen i stället nu försöker efter bästa eller sämsta förmåga styra systemen.

De första stora dramatiska ekologiska förändringarna kommer vid övergången till fast bosättning.

Människan börjar nu fälla skog och påverkar härigenom uppväxtmiljön för djur och växter. Hon bränner och odlar. Härigenom kommer hon att bryta näringskedjor och skapa förenklade växtsamhällen. Man har kallat plogen för ''det mest dödliga av alla vapen'', när det gäller människans organismvärld. Men människan börjar även tulla på näringskapitalet genom att konstant

---

[11] Till framställningen under II:3 har jag inspirerats genom läsning av framförallt följande arbeten: T. H ä g e r s t r a n d, Ecology under one perspective. Ecological Problems in the Circumpolar Area (Ed. E. Bylund. Luleå 1974), ss. 271—276; S.-E. Å s t r ö m, a.a.; E.R. W o l f, a.a. och de mer växtekologiskt inriktade B. N i h l g å r d & S. R u n d g r e n, Naturens dynamik (Lund 1978); P.H. E n c k e l l, Människans influens på de naturliga ekosystemen (7 s) (Uppsalasymposiet 1973: Ekologi, kulturlandskapsutveckling och bebyggelsehistoria. Medd. från Kvartärgeologiska avd. vid Uppsala Universitet. Stencil, Uppsala 1974) samt Energi og udvikling i økosystemer (Noahś emneserie nr 2. København 1972). Se även B. O d é n, Human Systems in the Baltic Area (AMBIO volume IX 1980/3-4) ss. 116—127 samt E. Ö s t e r b e r g, a.a.

bortföra näring ur ekosystemet t.ex. genom en forcerad handel med bl.a spannmål.

Människans bytesförhållande till naturen kan vi medvetandegöra genom att i ett historiskt perspektiv beskriva resursutnyttjandets olika former, samt undersöka hur resursuttaget har fördelats. Härigenom skulle vi lättare kunna få grepp om resursförstöringens orsaker.

Om ett samhälle med agrar ekonomi skall kunna producera förnödenheter för befolkningens fortlevnad måste det ha tillgång till naturresurser i tillräcklig mängd, arbetskraft som kan producera samt teknik att utvinna resurserna. Inte minst p.g.a. det senare skiljer sig människan från andra invånare i naturlandskapet.

Medan djuret finner behovstillfredsställelse i det givna naturarrangemanget kan människan delvis p.g.a, en ständigt förbättrad teknik göra omdispositioner av naturen och planera år, årtionden, ja t.o.m. sekler framåt och bygga upp system för att ha resurserna till hands under hela livsloppet.

Dessa system kan vara individuellt utformade eller centralt samordnade till större eller mindre samhällssystem.

Individens närsystem kan komma i konflikt med andra individsystem t.ex. i samband med resursutnyttjandet. De kommer då att motverka varandra i stället för att samverka. Det senare blir endast planmässigt möjligt, då de individuella systemen organiseras i större system. När människan uppträder i naturlandskapet som resurskrävare använder hon sig därför inte bara av teknik utan även av social organisation för att frigöra sig från naturomgivningens tvång.

Ju högre distributionsnivåer inom den sociala organisationen som teknologin betjänar, ju större risk finns det för att individen inte upplever denna teknologi- distribution som nödvändig för sin egen behovstillfredsställelse. Inträffar detta blir det direkt förödande för individen när kontrollen över det stora kräver att balansen i individens eget system måste rubbas. Individens val blir då att antingen förintas eller byta system.

Teknologin blir därför inte bara en lösning utan även ett hot. Tekniken och dess förändring kan då sägas vara en indikator på konflikter och dessas lösning, vari kan ligga fröet till nya konflikter.

Under sitt livslopp ägnar sig människan åt en rad olika verksamheter. Några är direkt nödvändiga för uppehållande av livet som t.ex. födoanskaffning och födointag, sömn, reproduktion o.s.v. Andra kanske är mindre livsnödvändiga men kanske desto angenämare som t.ex. lek, spel, nöjen osv. I denna konkurrens om människans tid måste alltid de livsuppehållande verksamheterna få försteg. Man kan dock utgå ifrån att människan vill minimera den tid som används till dessa nödvändiga verksamheter och samtidigt få ett tryggat

Bild 1. Bygden de bröt. Det landskap som kolonisatörerna mötte var fyllt av resurser men också av hot och teknologiska utmaningar. Bilden visar Njommelsaska (Harsprånget) i Stora Luleälv. Skummet yr dock inte längre och fallets muller har tystnat, då ett kraftverk är i drift på platsen sedan 1951. Färglitografi av Julius Hellesen efter teckning av C.S. Hallbeck (c:a 1852). Ur. Joh. Aug. Berg, Sverige framställt i taflor (Gbg., 1856).

liv. Därför planerar och organiserar människan sin verksamhet samt söker arbets- och tidsbesparande tekniska lösningar som hjälp i sin dagliga strävan.

Teknik kan därför definieras som den lösning människan finner på konflikten mellan att minimera sin tids- och energikonsumtion och samtidigt optimera sitt kvalitiva och kvantitativa resursuttag.

Valet av handlingsmönster och teknikens utformning påverkas dock av en rad olika förhållanden.[12]

Så kan t.ex. konkurrens uppstå mellan olika typer av resursutnyttjande inte bara mellan individer och intressegrupper utan även inom en och samma indi-

---

[12] Jfr P o r s m o s e s resp L u n d e n s definition av teknik i tidigare nämnda arbeten. P o r s m o s e ser tekniken som en del av "det hele udnyttelsessystem, hvormed mennesket står i forbindelse med naturen", E. P o r s m o s e a.a. s. 55. Jfr L u n d e n: 'T = teknologisk nivå = utviklingsnivå av menneskets evne til å bruke, modifisere og kombinere ressursar (der under andre menneske) til å oppnå etterstreva resultat'." K. L u n d e n, a.a. (1980), s. 80.

vid. Jakt och fiske kan så vara konkurrenter om bondens tid i förhållande till åkerbruk och boskapsskötsel.

Bland bondebefolkningen i nordiska klimatförhållanden har det alltid funnits ett stort intresse för att gardera sig mot missväxt o.dyl. genom att förlita sig på flera näringskällor. Detta kan vi också konstatera gäller vårt eget undersökningsområde.

Kolonisatörerna och deras arvingar var länge mångsysslare. Som sådana var de inte stationära utan pendlade mellan innerägor och ytterägor, från åker till fångsplats. Boplats och ekonomiskt nyttjoområde (revir) blir härigenom inte synonyma begrepp. Något som är av största relevans för vår undersökning. Således kan man t.ex. med utgångspunkt från 1500-talets skattläggningshandlingar beträffande fisket konstatera att de flesta av fjällträsken då redan var ianspråkstagna av bönder som var bosatta nere i älvdalarnas kärnbygder.

Några av de faktorer som sålunda påverkar valet av handlingsalternativ skulle, vid sidan av teknikens utformning, förslagsvis kunna vara:

Naturlandskapets   — berggrund, klimat, jordmån,
beskaffenhet   råvarudepositioner, kullighet etc.

Areans storlek
Tradition
Innovationsförmåga
Ideologiska och
religiösa föreställningar

Efterfrågeinriktning   — marknadstryck, former för
     skatteuppbörd etc.

Social organisation   — bebyggelseformer, lagar, regler
     och förordningar samt övriga
     statliga ingrepp

Kulturpåverkan

Dessa faktorer kan tänkas befinna sig i ett komplicerat dynamiskt orsaks- och feed back-förhållande till varandra.

Var och en av dessa faktorer kan var för sig eller i olika kombinationer med varandra driva på eller hindra framväxten av en viss teknisk lösning. På så sätt bildar de tillsammans den ram inom vilken kommer att avtecknas resultatet av spänningsförhållandet mellan tids- och energiekonomisering contra optimering av resursuttaget. Dvs. de kommer att ange begränsningen för den teknologiska nivån. Följande skiss kan åskådliggöra detta:

Teknikens centrala placering här ovan bestäms av dess roll som analysobjekt.

Under alla förhållanden kommer dock tekniken med detta synsätt att få en avgörande betydelse vid utformandet av de fundamentala banden mellan liv-tid-rum.[13]

En förändrad teknik leder således ofta till en förändrad tidskonsumtion, vilket då blir en indikator på förändrade förhållanden inom det givna systemet och därmed inom den givna arean. Härmed accentueras vikten av att studera rumsliga gränser, men då inte i första hand nationella och administrativa gränser i sig, utan framförallt kulturella och språkliga gränser. Dessa är ofta indikatorer på möten mellan olika typer av system, i vilka teknologi ingår som en del. I vårt undersökningsområde åskådliggöres detta på ett synnerligen konkret sätt.

Språkgränsen sammanfaller så t.ex. med många kulturellt betingade gränser (redskapstyper, matvanor etc) medan den nationella gränsen i varje fall till en början var helt konstgjord och endast fungerade på kartan. Av detta framgår också det önskvärda i att vid ett studium av tekniken och dess förändringar ta sin utgångspunkt i en utifrån vissa bestämda kriterier avgränsad area. Vilka dessa kriterier kan vara i olika fall skall här inte diskuteras närmare. I

---

[13] Här tangeras ett komplicerat metodiskt problem som dock varken kan eller skall behandlas här. Som L u n d e n påpekat innebär detta synsätt stora svårigheter att verifiera de enskilda faktorernas betydelse. K. L u n d e n, a.a. (1980), s. 81.

stället skall vi nöja oss med konstaterandet att inom den ovan skisserade ramen skulle ett teknik-studium kunna generera en rad olika frågeställningar på skilda undersökningsnivåer t.ex.:

Vilka spänningar inom systemen ger upphov till ny teknik och vilka spänningar ger ny teknik upphov till (mot bakgrund av den ovan skisserade analysramen)?

Hur förändras tidskonsumtionen inom arean (t.ex. ur individsynpunkt eller med utgångspunkt från hur en viss tidsmängd fördelas inom ett system)?

Hur förändras arealutnyttjandet?

Hur påverkas könsrollerna av resursutnyttjandets utforming (t.ex. vid övergång från självförsörjning till redistribution då mannen kanske måste jaga och fiska medan kvinnan får överta ansvaret för jordbruket)? Och hur påverkar de förändrade könsrollerna teknikens utformning? osv.

Med hjälp av några improvisatoriskt valda exempel från vårt eget undersökningsområde skall jag här nedan göra ett försök att konkretisera ovanstående funderingar.

Som bakgrund skall jag dock först i mycket grova drag teckna en liten bebyggelsehistorisk skiss över utvecklingen fram till och med 1500-talet. Jag vill poängtera att denna skiss inte uppfyller några större krav på fullständighet.

III En bebyggelsehistorisk skiss[14]

Redan flera årtusenden före Kristi födelse har det funnits människor över hela det område som idag utgör Övre Norrland. Det var huvudsakligen fångstbosättningar, som dock haft rika kontakter med omvärlden, varom bl a en omfattande flintimport från sydskandinavien vittnar. En höjdpunkt för dessa tidiga bosättningar har infallit c:a 2.000 f kr. En intensiv bosättning synes då ha ägt rum i såväl Tornedalen som hela norra Finland. De arkeologiska fynden tyder på kontakter söderut, österut och västerut. En mängd boplatslämningar vittnar om bosättning i många av områdets älvdalar vid denna tid. Men dessa boplatser synes ha varit lämningar efter fångstfolk som huvudsak-

---

[14] Denna skiss bygger huvudsakligast på följande arbeten: H. S u n d s t r ö m, J. V a h t o l a & P. K o i v u n e n, a.a. samt där anförd litteratur (bl a uppsatser av K. J u l k u, K. L u n d - h o l m, G. P e l l i j e f f, J. T u r u n e n, T. W a l l e r s t r ö m samt framförallt M. H j e l m r o o s, Den äldsta bosättningen i Tornedalen. En paleoekologisk undersökning. Lund 1978). Se även I. S e r n i n g, Övre Norrlands järnålder (Skrifter utg. av Vetenskapliga biblioteket i Umeå. 4. Umeå 1960), H. C h r i s t i a n s s o n, Kalixbygdens förhistoria (Kalix, del 3:Land och Fynd. Red. H. Hvarfner. Norrbottens Museum. Luleå 1971) ss. 27—93, H. T e - n e r z, Ur Norrbottens finnbygds historia (Uppsala 1962); G. E n e q u i s t, Övre Norrlands storbyar i äldre tid (Ymer 1935/2), ss. 143—184 samt H. S u n d s t r ö m, Bondebygd blir till (Faravid nr 2. Rovaniemi 1978), ss. 144—176.

ligen ägnat sig åt jakt och fiske och i mycket liten grad förändrat naturlandskapet.

Så småningom har skogen röjts med hjälp av eld (svedning) och sädesodling i mindre skala börjar förekomma. Dock kan kulturformen närmast karakteriseras som en form av halvnomadism med säsongsvis uppsökta platser med primitiva odlingar. Människan omdanar i allt högre grad naturlandskapet och ett kulturlandskap uppstår så småningom. Omkring tiden för Kristi födelse har ett fångstfolk kommit hit österifrån och medfört en bronsålderskultur. Men fr o m Vendeltid och tidig Vikingatid påverkar människan mycket kraftigt kulturlandskapets utseende och nu inträder en klar expansionsfas beträffande såväl odlingens intensitet som dess areella utbredning.

Skogen svedjas och trots att granskogen står tät finns stora odlade ytor insprängda. Det är framförallt råg som odlas, men även odling av havre och korn förekommer. För veteodling är dock klimatet alltför strängt. Det som framförallt expanderar är dock beteslandskapet. Detta sker på åkerns bekostnad.

Kulturformen torde närmast vara att betrakta som en form av erämarkskultur där jakt, fiske, boskapsskötsel och sädesodling tillsammans utgör den grund på vilken bondens liv vilade.

Kring år 1.000 e kr har förmodligen en klimatförsämring inträffat varvid ungefär samtidigt beteslandskapet ånyo börjat expandera på åkerns bekostnad.

Av namnmaterialet och redskapstyperna att döma torde Tornedalen härvid till uteslutande del ha koloniserats österifrån. Så långt tillbaka som det överhuvudtaget är möjligt att härleda ett specifikt språkligt inflytande i namnmaterialet kan ett västfinskt sådant konstateras. Namnmaterialet tyder vidare på att denna tidiga västfinska inflyttning kompletterats med en senare karelsk, vilken inträffat ungefär samtidigt som beteslandskapet alltmer breder ut sig dvs c:a 1100-1300.

Allt framgent finns nu i varje fall en varaktig och kraftig påverkan av människan på kulturlandskapet. Under medeltidens lopp växer odlingen fram och bygden tätnar i de olika älvdalarna och får sin fasta utforming framemot 1500-talets mitt.

Fiskrika älvar och riklig förekomst av pälsdjur har under århundraden således medfört att jakt och fiske vid sidan av jordbruket varit viktiga inslag i den bofasta befolkningens näringsliv.

Övergången från en säsongsbetonad fångstbosättning till en fast jordbruksbebyggelse bör inte minst därför ha varit en långsamt gående gradvis process.

Landhöjningsförloppet i området kring Bottniska viken har inneburit att den nedre delen av älvdalarna under århundradenas lopp succesivt höjt sig upp ur havet, och fortfarande blir land till nere vid kusten och älvmynningarna. De bördiga, lätta och väldränerade jordarna inom detta område bör naturligen ha attraherat en tidig åkerbrukande befolkning.

Två av undersökningsområdets främsta karakteristika är å ena sidan de breda älvar som rinner ner till Bottenviken från fjällregionen samt å andra sidan vattendelarna/höjdryggarna mellan älvdalarna. Området mellan älvdalarna var förr i tiden i ännu högre grad än nu vildmark. Men än idag är dessa områden tätt skogbevuxna och mycket glest bebyggda. I stor utsträckning utgör således fortfarande de olika älvdalarna från varandra åtskilda enhetliga bygder, vilka förr endast förenades genom en smal kustbosättning.

Bebyggelsens starka lokalisering till kust och älvstrand kan delvis förklaras genom att fisket i hav och älv tillsammans med jakten på pälsdjur gav handelsvaror, vars betydelse för handeln med sydligare nejder redan det äldsta skriftliga materialet vittnar om. Handelsplatser uppstod också tidigt under medeltiden i nedre delen av såväl Torne som Pite älvdalar. Även på kusten däremellan fanns platser för handelsutbyte.

Bild 2. Det bördiga Tornedalen. Utsikt från Luppio-berget mot finska sidan. De många ängsholmarna medför att älven stundtals bildar formliga deltalandskap, som här vid Övertorneå/Ylitornio. Bilden visar även det oräkneliga antal lador i vilka kreaturens vinterfoder magasineras. Ur Bildarkivet, Norrbottens Museum.

Hela det område som här behandlas har vidare legat under högsta kustlinjen. De för odling gynnsamma havs- och älvsedimenten finns i anslutning till älvarnas ofta breda mynningsvikar och längs älvstränderna. De senare är i varje fall längs älvarnas nedre lopp flacka och väl lämpade till odling. Fisket, handeln och jordbruket kan till sin omfattning och sitt innehåll närmare preciseras med hjälp av skriftligt material från 1500-talet. Då tycks emellertid åkerbruket ha varit den viktigaste näringsgrenen i de flesta av områdets 8 socknar. Torneå socken utgör dock härvid ett undantag eftersom åkerbruket där tydligen stått tillbaka för handel, fiske, jakt och framförallt boskapsskötsel.

I Tornedalen var stränderna i omedelbar anslutning till älven mycket flacka, varför det lätt bildades naturliga strandängar, vilka naturgödslades genom de ymniga vårfloderna i samband med snösmältningen. Stark sedimentering i själva älvfåran medförde att små holmar bildades, vilka gav rikliga höskördar. Därtill kommer att Torne älv tillsammans med den närliggande finska älven Kemi älv räknades till Nordeuropas laxrikaste älvar. De naturliga förutsättningarna i Tornedalen var således goda för att näringslivet skulle inriktas på boskapsskötsel parallellt med fiske i såväl hav som älv. Några exempel här nedan skall förhoppningsvis illustrera hur detta påverkar och i sin tur förstärks av teknologiska och andra förhållanden i ett komplicerat växelspel.

Av 1600-talets kartmaterial framgår vidare att byarna i Tornedalen hade annorlunda form och struktur än de övriga socknarnas.

I de senare var åkrarna bandparcellerade med ägoblandning samtidigt som byarna var fast organiserade och oftast bestod av en eller flera gårdsklungor.

I Tornedalen saknades i stort sett ägoblandning och i stället hade varje hemman sin mark samlad inom ett gärde. Hemmanen låg härvid som pärlor på ett band längs älven så att var och en med sin mark hade kontakt med älvstranden. Tornedalens byar kom härigenom att bli utpräglade strandradbyar som på vissa ställen nästan sammansmälte. Dessa byar saknade fastare organisation och stundtals synes bybegreppet i Tornedalen huvudsakligen ha haft en kameral innebörd. Vissa byar hade ägor på båda sidor om älven så att denna då rann rakt genom byn. Älven var något som förenade och ej något som åtskilde.

Gränsen mellan det finska och svenska språket gick vid denna tid inte i själva Torne älvdal utan *mellan* Torne och Kalix älvdalar.

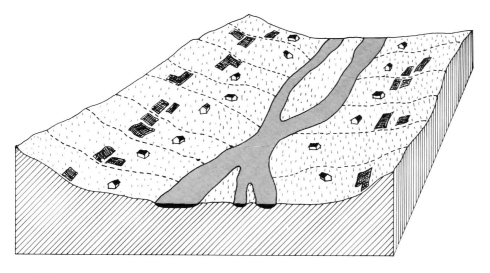

Bild 3. Strandradby i Tornedalen vid mitten av 1600-talet. Sedimentholmar och strandängar är ett dominerande inslag, med åkerlapparna insprängda på ängsmarken. Varje hemman har kontakt med älvstranden och alla sina ägor samlade i ett gärde. Bilden lätt förenklad med utgångspunkt från geometriska jordeboken 1648. Teckning Mats Lind, 1980.

IV Det teknologiska perspektivet[15]

Det finns endast några få platser på jorden där en teknologiskt sett primitiv befolkning av jägare och fiskare kan leva ett stationärt liv. Förutsättningen är att boplatsen kan erbjuda rik och jämn födotillgång året om t ex i form av fisk. Så var och är inte fallet i det här aktuella området.

[15] Framställningen under IV har byggts upp kring uppgifter ur framförallt följande arbeten: ur årsboken Norrbotten 1969 (Norrbottens Museum, Luleå 1968), C.-E. D a h l g r e n, Jakten och fisket i jord- och skogsbrukets rationalisering (ss. 199—205); J. G r a n l u n d, Laxfiske i Tornedalen (ss. 155—199); G. R ä n k, Miljö, utveckling och historia, sett från den arktiska horisonten (ss. 73—81). Ur årsboken Norrbotten 1970 (Norrbottens Museum, Luleå 1969), S. E r i x o n, Individuella tids- och funktionsstudier i Nordskandinavien (ss. 85—94). Ur årsboken Norrbotten 1971 (Norrbottens Museum, Luleå 1970), O. I s a k s s o n, Fiske, jakt och bysamhällen i Övre Norrlands kusttrakter (ss. 129—134). Samtliga dessa uppsatser tidigare tryckta i Hunting and Fis-hing (Ed.H. Hvarfner, Norrbottens Museum, Luleå 1965). Ur symposierapporten Nord-Skandinaviens historia i tvärvetenskaplig belysning (Ed. E. Baudou & K.-H. Dahlstedt, Umeå 1980), P. S i m o n s e n, Økologi, økonomi og samfunn i nord-skandinavisk forhistoria (ss. 53— 66), Ø. V o r r e n, Samisk bosetning på Nordkalotten, arealdisponering och resursutnytting i historisk-økologisk belysning (ss. 253—262). Se även G. E n e q u i s t, Nedre Luledalens byar (Uppsala, 1937), O. I s a k s s o n, Bystämma och bystadga. Organisationsformer i övre Norrlands kustbyar (Uppsala, 1967) samt R. J i r l o w & E. W a h l b e r g, Jordbruket i Tornedalen genom seklen (Skytteanska samfundets handlingar No.1 Umeå 1961), ss. 41—95.

Så länge som den teknologiska nivån var låg och odlingskunskapen ringa kom bosättningsformen att karakteriseras av halvnomadismen.

Man uppsökte säsongsvis sådana platser som vid varje tidpunkt gav optimalt resursuttag.

Naturlandskapet erbjöd sina resurser i form av djur att jaga, fisk att fånga, goda naturliga betesmarker att låta boskapen ströva på och slutligen även relativt god mark att odla. Skogen gav även virke, bär, bränsle, bete och villebråd. Detta avsatte ett resursutnyttjande som inriktades på jakt, fiske, handel, boskapsskötsel och även åkerbruk. Stora arealer och gles bebyggelse medförde att de extensiva näringarna jakt och fiske länge kunde bevara sin betydelse utan att komma i konflikt med andra former av resursutnyttjande.

Resursutnyttjandets inrikning på jaktens och fiskets produkter gynnades också av att omvärldens efterfrågan riktades just mot dessa. Fisk och jaktbyte var dessutom betydelsefullt vid själva bebyggelse-etableringen eftersom de gav en första buffert mot svält innan de första skördarna på den nyupptagne sveden fallit ut. Härvid är fisket betydligt mindre slumpartat än jakten. Så ger t.ex lek- och vandringsfisket stora säkra fångster, varvid de största i juli månad.

Ovanstående förhållanden innebar, speciellt för Tornedalens del, att behovet av ökat resursuttag inom åkerbruket var ringa, medan däremot fångstekniken, speciellt inom fisket, ständigt utvecklades och mottagligheten för innovationer inom detta område var stor.

Kontakten mellan de olika fångstkulturerna innebar härvid teknologiskt en förändring då en komplettering skedde vad beträffar nya former av fällor, bättre redskap, olika nya typer av nät, noter och mjärdar.

Efterfrågetrycket tillsammans med naturlandskapets resursinnehåll kom att bestämma inriktningen av de teknologiska förändringar som ägde rum. Förändringarna kom härvid att ta sig något skilda uttryck i de olika älvdalarna.

De olikartade råvarudepositionerna i naturlandskapet hade alltsedan äldsta tid bidragit till att livsbetingelserna blev annorlunda i de olika älvdalarna. Så hade t ex förekomsten av särskiljande stentyper gett olika typer av teknologi och därmed olika livsformer i t ex Ume älvdal i förhållande till Lule älvdal. Till denna utveckling bidrog också de kommunikationshinder som naturlandskapet erbjöd i form av höjdryggarna mellan älvdalarna och som först i vår tid kommunikationstekniskt har överbryggats. Eftersom den enda kontakten mellan älvdalarna skedde nere vid kustlandet var betingelserna för innovationsspridning således inte speciellt goda.

De olika älvdalarna var från varandra relativt slutna, enhetliga bygder, även om denna aspekt inte skall överdrivas. Ett rikt kontaktnät med omvärlden hade ju samtidigt etablerats i och med handelns betydelse. En önskan om förbättrad teknologi men avsaknad av råvaror hade sålunda redan under äldsta tid inneburit en omfattande import av sydskandinavisk flinta.

Den ökade merkantiliseringen kom nu att avspegla sig teknologiskt på olika sätt, som t ex dimensioneringen av fångstanläggningarna med de jättestora fångstsystem för vildrensfångst, vilka växer fram i lappmarken. Men även fångstanläggningarna inom fisket fick imponerande dimensioner, speciellt i Torne älvdal.

I särskilt grad gäller detta laxfisket. Fångsteknikens utformning ger en indikation på att laxtillgången måste ha varit oerhört stor och jämn under säsongen — sommaren.

I älvarna blev fångstanläggningarna huvudsakligen av två typer: pator och karsinor. Ingen av dessa konstruktioner motstod vinterisens eller vårsmältningens tryck, varför de måste monteras ned varje höst och monteras upp varje vår. Konstruktionernas storlek innebar att detta var såväl arbets -som tidskrävande. Men även själva fångsten var arbetsintensiv. Så fordrade t ex karsinans dagliga vittjande inte mindre än 8 personer fördelade på 4 båtar (1 + 1 + 3 + 3) medan en del pator i stort sett krävde dygnet om-passning, i varje fall under senare delen av juli månad.

Fångstanläggningarnas utformning var anpassade efter naturförhållandena.

Karsinan förlades företrädesvis i älvarnas lugnvatten, medan andra typer av pator kunde byggas mitt i forsen, som t ex i Torne älv den berömda Kukkolapatan, på vilken männen står i rad och håvar upp den sik som går in i forsens lugnvattengropar för att vila sig under vandringen uppför forsen.

Där älven bildar stora lugnsel, som t ex vid Hietaniemi i Torne älvdal, förekommer fiske med strandnot trots att det är arbets- och tidskrävande. Havsfiskets fångstteknik kännetecknas framförallt av nät och not samt numera även ryssja.

Det säger sig självt att denna arbetsintensiva fångstteknik inom fisket innebar att en stor del av männens tidskonsumtion under sommarhalvåret gick åt härtill och mycket liten del av deras tid blev över för jordbruket. Småbönderna i kustlandets byar vid Torneälvens mynning var också ofta främst fiskare och först därefter jordbrukare. När isen gått i maj for de ut till skärgården och idkade sedan laxfiske hela sommaren medan kvinnorna tog över jordbruket.[16]

Hemmanen längs Torneälven utnyttjade vid sidan av fisket även den tillgång älven erbjöd i form av rikt fodergivande strandängar. Tonvikten inom

---

[16] Beträffande könsrollerna i det norrländska bondesamhället jfr O. L ö f g r e n, Arbeitsteilung und geschlechterrollen in Schweden (Ethnologia Scandinavica 1975), ss. 49—72.

Bild 4. Patan. Tornedalens mest berömda pata — Kukkola-patan, här sedd från den svenska sidan. På patan mitt ute i forsen har fångstmännen sina arbetsplatser (för detalj se bild 6). Under juli månads högsäsong pågår fångsten här dygnet om. Då patan inte motstår vinterisens och vårflodens tryck måste den år efter år monteras ned om hösten, för att åter slås upp nästa vår. Foto J. Ingalid (Bildarkivet, Norrbottens Museum).

Bild 5. Strandnoten drages. I älvarnas lugnsel fiskades med strandnot. Så småningom kommer männen på bilden att föra samman notens båda ändar, så att fisken fångas som i en säck. Från stranden tas sedan noten ''hem'' undan för undan och fångstsäcken blir mindre och mindre. När fiskelyckan är god kokar därvid vattnet av sprattlande laxar. Teckning Mats Lind, 1980 (efter foto ur Bildarkivet, Norrbottens Museum).

124

Bild 6. Siken håvas. Fångstmannen har sin arbetsplats mitt ute i forsen. Påpassligt håvar han upp den fisk som utmattad av sin vandring uppför forsen går in i lugnvattengroparna för att vila. Arbetet är fysiskt påfrestande och kräver såväl skärpt uppmärksamhet som stor skicklighet i hanterandet av håven. Teckning Mats Lind, 1980 (efter foto ur Bildarkivet, Norrbottens Museum).

jordbruket i Torne älvdal lades också på boskapsskötseln, vilken under sommaren var mindre arbets- och tidskrävande än det rena åkerbruket.

Fångstekniken och den sociala organisationen kom i varje fall vad beträffar Tornedalen att ingå som delar i ett komplicerat växelspel.

Många fisken ägdes kollektivt, där ibland kustfiskena hade delägare till och med från andra socknar. Men mestadels ägdes patorna av ett eller flera byalag. Det var dock inte alltför ovanligt att t.ex. en bonde i någon by högt upp i älvdalen kunde äga en andel i någon pata längre ned i älven. På grund av dessa förhållanden föreföll det mindre meningsfullt att reglera fisket i byordningarna eftersom fisket oftast krävde samorganisation ovan bynivån. Bybeg-reppet blev bl.a därför i Tornedalen mestadels ett kameralt begrepp.

Även lagar och förordningar kunde indirekt få betydelse vid utformandet av de tekniska lösningarna.

De regalrättsliga anspråken på den s k kungsårdran, ursprungligen ett far-ledsinstitut, innebar t.ex att 1/3 av älven i dess mitt skulle vara farbar och ej fick byggas för med fasta fångstanläggningar. Härtill anpassades fång-stanläggningarna så att patorna byggdes ut mot mitten från resp strand varefter man i mitten fiskade med kolk (ett slags not).

Som framgått ovan var jakt och fiskerättigheterna ursprungligen inte kopp-lade till jordägandet, vilket de dock senare blev. Alltifrån Hälsingelagens 1200/1300-tals stadgande om att "den äger vatten, som äger land" hade för-sök gjorts att binda fisket vid jordägandet eller hemmanet som sådant. Hu-vudsyftet från centralmaktens sida var naturligtvis att på så sätt få kontroll över beskattningsobjekten. Genom en serie manipulationer under framförallt slutet av 1700-talet kröntes slutligen kronans strävan med framgång genom att fiskerätten från och med slutet av 1800-talet kom att knytas till det mantals-satta hemmanet.[17] Detta kom att få olyckliga konsekvenser i en tid då binäringsfiskaren lämnat sitt jordbruk och tagit säsongsarbete inom indu-strin. Bondättlingen som blivit industriarbetare behöll pga jakt- och fiskerättigheterna sin lilla del av hemmanet och kom därvid i många fall att förhindra en övergång till rationell stordrift inom jordbruket, vilket senare of-ta var ett överlevnadsvillkor för jordbrukaren i denna del av landet.

Men vi rör oss då i en tid då laxfisket i de flesta andra älvdalarna påverkats negativt av de teknologiska förändringar som åstadkommits i och med vat-tenkraftens utbyggnad.[18] Vattenregleringarna medförde t.ex varierande vattenstånd under laxens känsliga vandringsperioder. I Torne älvdal inverka-de timmerflottningen negativt på laxfisket. Då hade också laxfiskets ekono-miska betydelse minskat markant, en utveckling som nu än mer markerades.

Paradoxalt nog innebar även en förbättrad teknologi i form av effektivare jaktvapen och fiskeredskap samt framförallt jordbrukets ökade rationalise-ring med högre årsavkastningar att jakten och fisket förlorade i betydelse som tidskonsumenter inom bondehushållet.

Den mätteknologiska förändring som avvittringen innebar gjorde slutgiltigt slut på den gamla samfällda jakten.

Den långt gående uppdelningen av markerna innebar stora svårigheter att

---

[17] Se J. G r a n l u n d, a.a.

[18] Observera i detta sammanhang Ingvar J o n s s o n, Laxfiske och vattenmiljö. Reflexioner kring en avhandling om vattenbyggnader i Ljungan (Rapport A:13, Geografiska inst. Umeå Uni-versitet, Umeå 1978).

genomdriva en teknologi som bättre skulle kunna öka resursuttaget inom jord- och skogsbruket. Samtidigt härmed innebar det intensiva jord- och skogsbruket att fisket och jakten förlorat sin ekonomiska betydelse för markbrukaren. Vi har då, som tidigare sagts, avlägsnat oss från de tidsperioder som inledningsvis var aktuella. För ett ögonblick skall vi dock återvända dit.

Ovanstående förhållanden har framförallt gällt Torne älvdal, ehuru behovet av teknologisk förändring kom att ta sig ett annat uttryck i t.ex Lule älvdal.

Medan närheten till vatten pga fisket och betesgången var den minimifaktor efter vilken bebyggelsen lokaliserades i Tornedalen kom bebyggelsen i Lule älvdal företrädesvis att läggas på så sätt att härigenom möjliggjordes ett effektivt resursutnyttjande i form av åkerbruk.

Lule älv var inte alls lika laxrik som Torne älv medan däremot odlingsbetingelserna var goda. Jordbrukstekniken utformades därför med tonvikt på åkerbruk. Åkrarna bandparcellerades och markutnyttjandet kodifierades i byordningarna. Det inom åkerbruk och boskapsskötsel succesivt ökade utnyttjandet av disponibel mark fordrade så småningom skrivna avtal. Allteftersom nya nyttjandeförhållanden uppstod kom dessa byordningar att ändras och moderniseras.

Dessa reglar och förordningar kom att stå i samspel med de odlingstekniska förändringar, varpå skiftets genomförande blev det mest vältaliga uttrycket.

Medan den mätteknologiska innovation, som skiftet innebar, kom att ingripa i flertalet av älvdalarnas byar lämnades härvid Tornedalens byar så gott som oberörda. Grovt uttryckt, kan det sägas, att där fanns inget att skifta. Gårdens självständighet var där sedan gammalt stor och bysamfälligheten vad beträffar jordbruket ringa. De flesta gårdarna hade där redan tidigt haft sina ägor samlade inom ett gärde, vilket framgår av 1640-talets geometriska kartmaterial. Det som innebar samfällighet i Tornedalen var pga fångsteknikens utformning fiskelaget — inte nyttjandet av en bys åkerjord.

Medan jordbrukstekniken förändrades i områdets övriga älvdalar, kom den i Tornedalen att kvarstå i mycket ålderdomliga uttrycksformer. Då plogdon länge använts i de övriga älvdalarna var handbruket fortfarande den vanligaste brukningsformen i Tornedalen. Även om inte plogdon saknades helt var spaden, hackan och krattan de vanligaste redskapen inom åkerbruket här. Detta kan ha befrämjats av kontakten med det primitiva jordbruk som sedan urminnes tid bedrivits av samer och norrmän i norra Norge, och av att fisket tillsammans med boskapsskötseln blev det huvudsakligaste näringsfånget.

Således kan inte den teknologiska nivån som helhet sägas ha varit mer primitiv i Tornedalen än i de övriga älvdalarna. I Tornedalen var mottagligheten för innovationer/teknologiska förändringar huvudsakligen koncentrerad till det mest givna resursutnyttjandet — fisket, medan förhållandena blev något annorlunda i de flesta av de övriga älvdalarna.

Vid bebyggelseetableringen synes närheten till fiskrika vattendrag ha varit den faktor som i Tornedalen prioriterades framför andra. Därför kom byarna här att ligga på rad utefter älven. Byarnas utseende företer i detta avseende stora likheter med byarna inom angränsande finska älvdalar, medan gårdarna har en helt annan belägenhet i de angränsande svenska älvdalarna.

Tornedalens närhet med finsk jordbrukskultur avspeglas också i redskaps-materialet. De i Tornedalen nyttjade redskapen härstammar oftast från syd-västra Finland, någon gång från östra Finland, medan de svenska inslagen i redskapsfloran är få och unga.

Den kulturtillhörighet som sedan äldsta tid kunde konstateras beträffande de spåkliga lämningarna kan således även spåras i den tekniska kulturens ut-trycksformer.

V Slutord

Mot bakgrund av en bebyggelsehistorisk skiss samt en tänkbar analysram har här ett försök gjorts att antyda vilka samband som kan vara avgörande för de tekniska förändringarnas inriktning.

Genom exempel har visats hur social organisation, naturlandskapets resur-sinnehåll, kulturpåverkan, efterfrågetryck etc., i samspel med teknologiska förändringar har skapat olikartade förhållanden i två varandra i rummet när-liggande älvdalar.

Konstaterandet av detta samspel mellan olika förändringar är av hypotetisk natur, mera avsett som en startpunkt för djupare diskussion än som ett fast resultat.

I min exemplifiering här ovan har jag således fritt rört mig över tidsgränser-na. Jag är fullt medveten om att teknologiska förändringar av den art som in-tresserar oss är svåra att kronologiskt precisera och att detta inte heller gjorts här ovan. Det är alltså ovisst vilken tidskorrelation som råder mellan teknolo-giska förändringar och andra förändringar inom systemet t.ex. beträffande bosättning etc. För tillfället blir följaktligen testning av de uppställda hypote-serna omöjlig att genomföra. Iakttagandet av förändringar i systemen och teknikens betydelse härvidlag måste ju ha en fast kronologi samt underlag.

Syftet med denna korta framställning var ju dock snarare att rekognocera problemområden än att fullständigt utforska och kartlägga dem.

Mot de metodiska hinder som kan förväntas måste vägas betydelsen av att många centrala frågeställningar kanske kan besvaras. Några exempel kan ges.

Vilka effekter på naturen vid olika tidpunkter fick åkerbruket och djurhållningen? Hur gick jakt och fiske till vid olika tidpunkter?

När bygden växte och boskapen hotades av vildmarkens djur startades en utjagning av rovdjuren. Bestånden av varg, björn och örn minskade snabbt. Vilka ekologiska konsekvenser fick detta? Ja, helt säkert tack vare sin enorma reproduktionsförmåga men möjligtvis även p.g.a. rovdjurens minskade antal kunde ekorren öka lavinartat i antal. Detta i sin tur bildade underlag för masshandeln med gråskinn dvs. vinterekorre. I stora buntar nådde dessa skinn sedan via hansestäderna Danzig och Lübeck de västeuropeiska marknaderna.[19]

Men å andra sidan — varför uppstår handeln? Är det p.g.a. efterfrågan utifrån på de varor området kunde erbjuda? Eller är det behov inom området av framförallt salt och vapen som framkallar intresse för varuutbyte?

Hur ser det samiska fyndmaterialet ut? Finns det något som tyder på förekomst av bofasta samer med får, getter och kanske ett primitivt åkerbruk? Rennomadismen torde ju ha uppstått relativt sent (under medeltiden) och hur påverkar detta förhållande i sin tur resursutnyttjandets former?

När det gäller naturens omdaning har vi vid sidan av den mänskliga verksamheten även att räkna med naturfaktorer som t.ex. elden (blixtnedslag, självantändning), klimatet och landhöjningen. Hur skall dessa faktorers roll kunna bestämmas?

Som inledningsvis påpekats har dessa frågeställningar redan tangerats under forskningsgruppens verksamhet.

Vid sidan av bebyggelsekronologin kan ju ortnamnen ge upplysningar om fångstmetoder, vägar, stigar etc. Många av de arkeologiska fynden har ju redan tolkats i denna riktning. Det historiska källmaterialet erbjuder också liknande möjligheter, i varje fall fr.o.m. 1500-talet. Sist men inte minst innebär den snabba metodutvecklingen inom paleoekologin att ständigt nya möjligheter skapas att angripa problem av den typ som skisserats ovan. Det är framförallt den starka tekniska utvecklingen inom naturvetenskapen som har medfört nya metoder inom paleoekologin. Tillämpningen av dessa har gett resultat som bara för några år sedan var otänkbara att nå.[20]

Sammanfattningsvis skulle alltså en undersökning efter här skisserade linjer leda in på för kunskapen om Tornedalen centrala problemställningar. Det är

---

[19] Jfr S.-E. Å s t r ö m, a.a.
[20] Se här t ex K. T o l o n e n, V. S a l o h e i m o och P. H u t t u n e n, Paleoekologi och odlingshistorisk forskning (Finsk Historisk Tidskrift 1977/4), ss. 386—396, K. T o l o n e n, Paleoekologiska vittnesbörd om forntida liv och villkor i norra Fennoskandien. I den ovan under not 15 omnämnda symposierapporten Nord-skandinaviens historia i... (Umeå 1980), ss. 29—45. Se även O. Z a c k r i s s o n, Dendroekologiska metoder att spåra tidigare kulturinflytande i den norrländska barrskogen (Fornvännen 1979/4), ss. 259—268, tryckt även i den ovan under not 3 nämnda Människan, kulturlandskapet och framtiden (Stockholm 1980), ss. 279—287.

9

därvid önskvärt att anlägga så långt tidsperspektiv som möjligt. En utvidgning av undersökningen till att även omfatta Kemi och Kalix älvdalar skulle vidare väsentligt öka de komparativa möjligheterna. Genom verksamheten inom det s.k. "Lule älvs-projektet" kommer det förhoppningsvis så småningom att även finnas jämförbara resultat från Lule älvdal.

På detta sätt skulle bred kunskap kunna nås om utvecklingen i hela Norra Bottnen i ett långt tidsperspektiv.

Utöver de underlåtenhetssynder jag här biktat vill jag som avslutning ägna lite extra utrymme åt en speciell försyndelse.

Jag har här ovan nämligen överhuvudtaget inte berört den i sammanhanget centrala frågan om teknologins roll i samband med kontakten mellan samefolkens livsförhållanden och de icke-samiska folkens. Detta trots att många lättgjorda iakttagelser kan göras.[21]

Även bland nomadfolk kan kulturgränser och därmed teknologiska gränser uppstå under trycket från naturbetingelserna. Så t.ex. blir yrken, årstidsvandringar och därmed redskapen dvs. teknologin annorlunda i ett område med isfri kust året om, i förhållande till ett område med tillfruset hav om vintern.

Härutöver kom samernas livsförhållanden att påverkas och drastiskt förändras genom ständig kontakt med till en början ett stationärt bondesamhälle och så småningom ett högteknologiskt industrisamhälle.

Otvivelaktigt kom rennomadismens genombrott att betyda mycket för förändringen av samernas kosthållning, de tekniska lösningarna på problemet med bostäder och transportmedel, liksom arealutnyttjandet förändrades.

Men de skandinaviska samernas mjölkhushållning torde ha uppstått efter kulturkontakten med nordbornas boskapsskötsel. Skoltlapparna som saknat denna kulturkontakt mjölkar t.ex. inte sina renar. De lapska benämningarna på mjölk, ost, vassla, löpe osv. är typiskt nog gamla nordiska lånord.[22]

Kontakten med de nordiska grannarna torde också ha inneburit sådana kommunikationstekniska förändringar som införandet av klövjesadeln, seglet och överhuvudtaget bättre båtar etc.

Men de speciellt under jordmobiliseringens era allt längre upp mot fjällvärlden uppträngande nybyggena innebar också inhägnader som störde årstidsvandringarna och påverkade renbeteslanden. De mest brutala förändringarna härvidlag står förstås vår egen tids kraftverksbyggen för.

För renskötseln har de tekniska förändringarna således mestadels skapat konflikter, även om de också i viss mån bidragit till dessas lösning.

Snöskoter, helikopter, bil och motorbåt har på ett drastiskt sätt underlättat

---

[21] Se ovan under not 15 anförd litteratur.
[22] Se G. R ä n k, a.a., s. 79f.

renskötseln och gjort det möjligt att upprätthålla denna trots ett vikande be-folkningsunderlag och det förhållandet att allt färre samer väljer att ägna sig åt denna hävdvunna näringsform. Härtill torde det dock finnas många orsa-ker. Det samiska folkets historia, speciellt i förhållande till de icke-samiska folkens, är ett stort, komplicerat och till stora delar obearbetat problem. Vi skall därför här stanna vid de gjorda randanmärkningarna.

En samisk visa skall dock slutligen få tolka de känslor individen kan uppleva då hans eget system krossas av en teknologi som betjänar högre distributionsnivåer inom ett samhällssystem, och som individen därigenom får svårt att känna sig delaktig i.[23]

Genom att dämma upp Stora Lule älvs källsjöar har Statens Vattenfallsverk skapat Suorva-magasinet. Någon naturlig strand finns därför inte längre vid sommarvistet Vaisaluokta. De sedan urminnes tid skyddande näsen har försvunnit och stranden består numera av gyttja och ris.

Jag förstår ingenting
Själen är nedtryckt
Se er omkring
Hela byn har försvunnit
Främlingarna har dränkt den
Deras behov har ingen gräns

Jag står vid en strand
Vid en strandlös strand
Se er omkring
Gamla stränder finns ej mer
Främlingarna de stal dem från oss
Deras behov har ingen gräns

Nu gungar mitt folk
På ett stormigt hav
Se er omkring
Från vår rätt viker rättvisans skydd
Främlingarna har krävt det av oss
Deras behov har ingen gräns

[23] Samisk text: Inger och Paulus U t s i (sv övers. Magnus Sjögren). Texthäfte till LP-skivan
"Urminnes hävd", folkmusikgruppen Norrlåtar (skivmärke: Manifest, MAN 13).

116

I mina förfäder ser jag
ett strävande släkte
Se er omkring
Vi utstår kränkande handlingar
Främlingarna underkuvar oss
Deras behov har ingen gräns

Tiivistelmä

Hans Sundström, "Vanhoja rantoja ei ole enää..." Norrbottenin asutushistoriasta teknologisesta perspektiivistä

Tämä artikkeli käsittelee tulevan toiminnan suuntaamista "Tornionlaakson vanhemman asutushistorian tutkimusryhmässä".

Työ on tähän asti tuottanut huomattavasti lisää tietoa. Esimerkiksi vanhimmän asutuksen synty jokilaaksossa on voitu ajoittaa useita vuosisatoja aikaisempaa ajankohtaa varhaisemmaksi sekä Tornionlaaksoon saapuneiden asutusvirtojen alkuperä on voitu määritellä jne.

Kirjoittaja ehdottaa, että tutkimus, lähtökohtana saavutetut tulokset, nyt entistä intensiivisemmin suunnataan luontoon ja ihmisen välisen suhteen analyysiin. Tutkimuksen aikarajoja täytyy silloin laajentaa niin paljon kuin mahdollista. Asiaan kuuluvan vertailumateriaalin saamiseksi tutkimuksen tulee käsittää myös lähellä olevat jokilaaksot. Sen kautta pitäisi voida vastata olennaisiin kysymyksenasetteluihin, kuten esimerkiksi maanviljelyksen ja karjatalouden vaikutukset luontoon, mitä kertoo saamelainen löytömateriaali resurssien hyväksikäyttömuodoista, *miksi* syntyy laaja kauppa Tornionlaakso solmukohtana, ilmaston ja maankohoamisen merkitys jne.

Tutkimusalueen määrittelystä ja aluejaosta keskustellaan. Nämä ongelmat ovat suorassa suhteessa siihen tasoon, joka valitaan ongelmanasettelua varten. Yleisesti muotoiltu kysymyksenasettelu myötävaikuttaa, että koko jokilaakso otetaan tutkimuskohteeksi ilman tarkempaa rajaamista.

Ajateltavat analyysin puitteet esitetään taustaksi, mistä monimutkainen yhteispeli luonnon ja ihmisen välillä voitaisiin analysoida. Ekotyyppiä tarkastellaan laajana määrättynä ajankohtana tehtynä ekosysteemin poikkileikkauksena sen kehityksen annetussa vaiheessa. Ekotyypistä tulee silmänräpäyskuva ekosysteemistä jatkuvassa muutoksessa.

Ekosysteemin määritelmä sopii yhteen kirjoittajan esittämien mahdollisten analyysin puitteiden kanssa.

Resurssien hyväksikäytössä voi *ihmisen toimenpidevaihtoehtojen valinnan* ajatella riippuvan *luonnonmaiseman laadusta, alueen suuruudesta, traditiosta, uudistuskyvystä, ideologisista ja uskonnollisista käsityksistä, tekniikasta, kysynnän suuntautumisesta, yhteiskunnallisesta organisaatiosta ja kulttuurivaikutuksesta.* Dynaaminen yhteispeli näiden tekijöiden välillä muodostaa ne puitteet, joiden sisällä luonnon ja ihmisen välistä suhdetta täytyy analysoida.

Keskustelu konkretisoidaan siten, että kirjoittaja empiirisesti ankuroidun esimerkin avulla yrittää näyttää kuinka yksi näistä tekijöistä, tekniikka, voidaan yhdistää jokaisen muun kanssa. Tekniikka määritellään silloin ratkaisuna, jonka ihminen löytää konfliktissa minimoidessaan aikansa ja energiansa kulutusta ja samanaikaisesti optimoidessaan laadullista ja määrällistä resurssiensa käyttöä.

Kirjoittaja väittää, ettei mitään aikakorrelaatiota voida määritellä teknologisten ja muiden muutosten välillä systeemissä. Sen vuoksi esitettyjen hypoteesien testaaminen ei ole mahdollista tällä hetkellä. Esityksen rajoitettu tarkoitus on aikaansaada keskustelua, ei tiedottaa saavutettuja tuloksia.

Summary

Hans Sundström, "There are no longer any old shorelines..." The settlement history of Norrbotten from a technological perspective

This article is concerned with the future direction of work within the 'research group on the early settlement history of the Tornio valley'. The work to date has generated a great deal of new information. It has been possible to show, for example, that the earliest settlement in the valley dates back several centuries further than was previously thought, and it has been possible to define the origins of the movements of population into the valley.

It is proposed that, taking these results as its starting point, the research should now be directed more intensively than ever towards an analysis of the relation between man and nature. The time-scale for the research will have to be extended to the maximum possible extent for this purpose, and relevant reference data will have to be sought in the adjacent river valleys. This should enable answers to be provided to essential questions such as the influence of cultivation and cattle rearing on the natural environment, the nature of the Lapps' exploitation of their resources, as shown by the finds obtained, the *reasons* for the rise of extensive trading in the north with the Tornio valley as its focal point, and the significance of climate and land uplift, etc.

Some discussion is made of the definition of the study area and its sub-areas. These problems are directly related to the level which one chooses for formulating the topic of study. A general phrasing of the research topic would imply the inclusion of the whole valley without any further delimitation.

A conceivable framework of analysis is set out a background against which the complex interaction between man and nature might be analysed. An ecotype may be examined in terms of a broad cross-section of the ecosystem applying to a specific point in time at a given stage in its development. Thus each ecotype becomes an instantaneous picture of the ecosystem in itse process of continual change. The definition of an ecosystem fits in well with the possible analytical framework proposed.

Man's choice of his course of action in exploiting his resources may be looked on as being dependent upon *the character of the natural environment, the size of the area, tradition, his capacity for innovations, his ideological and religious beliefs, his technology, the prevailing direction of his demands, his social organization and cultural influences.* The framework within which the relation between man and nature must be analysed consists of a dynamic interaction between these factors.

This discussion is illustrated by a concrete empirical example in which it is shown how one of these factors, technology, can be combined with each of the others, for which purpose technology is defined as the solution reached in the conflict which arises when man seeks to minimize his expenditure of time and energy while at the same time maximizing the qualitative and quantitative use he can make of his resources. It is claimed that no time correlation can be defined between technological and other changes in the system, and thus it is impossible at present to test these hypotheses. The purpose of the present paper is simply to stimulate discussion, and not to communicate any results that have been attained.

Sammanfattning

English summary

Den här redovisade undersökningen har haft en uttalat tvärvetenskaplig inriktning. Detta har påverkat forskningsprocessens alla faser: problemformulering, problemlösning och resultatsammanfattning. Den tvärvetenskapliga ansatsen har medfört, att det relativt korta tidsperspektiv, som oftast kännetecknar undersökningar förankrade i traditionellt historievetenskapligt källmaterial och därtill hörande analysmetoder, fått vika för det mer långsiktiga tidsperspektiv, som övriga inblandade discipliner företrädesvis arbetar i. Härigenom har vi kunnat komma väsentligt närmre det uppställda problemets lösning än vad som eljest varit möjligt. Samtidigt har det skriftliga materialet behandlats utifrån vissa valda aspekter av relevans för det aktuella problemet.

Den presenterade undersökningen har således rört sig i spänningsfältet mellan en analys av det skriftliga materialet och det tvärvetenskapliga samarbetets krav. Jag skall här avslutningsvis diskutera vilka principiella överväganden som i denna situation varit nödvändiga att göra. Samtidigt skall jag sammanfatta de resultat, den motbild i förhållande till tidigare forskning, som undersökningen lett fram till.

Det skriftliga materialet

Vid analysen av det skriftliga materialet har jag i första hand strävat efter att sortera ut sådana säkra fakta, som kan bilda underlag för en slutsats om *bebyggelseutvecklingen* i området. Det var i detta sammanhang angeläget att upprätthålla en distinktion mellan direkta upplysningar om bebyggelsen och upplysningar om t.ex. ekonomisk och administrativ utveckling. Ett område kan ju t.ex. expandera i ekonomiskt avseende utan att detta *behöver* vara förenat med någon bebyggelseexpansion. I synnerhet måste detta vara tänkbart beträffande områden som inte uteslutande baserat sin ekonomi på jordbruk. I Övre Norrland har vi ett område som av det rikhaltiga 1500-talsmaterialet att döma visserligen har baserat sin ekonomi på jordbruk men även på boskapsskötsel, jakt och inte minst fiske.

Min granskning av det skriftliga materialet har resulterat i att jag i högre grad än tidigare forskning visat, vilka svaga grunder som *alla* slutsatser om Övre Norrlands medeltida bebyggelseutveckling vilar på om grunden uteslutande utgörs av uppgifter i det skriftliga materialet.

Frågan uppstår då vad det skriftliga materialet egentligen ger upplysning om.

Den principiella inställning jag tidigare redovisat skall belysas genom en diskussion av ytterligare några exempel på det skriftliga källmaterialets karaktär utöver det centrala material vi tidigare diskuterat ovan i avsnittet »Bondebygd blir till».

Diskussionen skall fokuseras till två problemområden: birkarlarna respektive stridigheter kring administrativa gränser. Exemplen är givetvis inte slumpvis valda. Flytande administrativa gränser och birkarlarnas verksamhet har av tidigare forskning ansetts utgöra tecken på att området var nykoloniserat vid senmedeltidens början.[1] De problemområden, som här tangeras, utgör var för sig avskilda stora forskningsuppgifter. Birkarlaproblemet kräver sin egen utredning. Det är ett av de mer omdebatterade problemen inom områdets medeltidshistoria.[2] Låt oss för enkelhetens skull stanna vid konstaterandet att birkarlarna var personer som mer eller mindre hade monopol på den inkomstbringande handeln med lapparna. Deras ursprung och funktion i övrigt har varit och är föremål för en livlig forskningsdebatt. Denna äger mindre *direkt* relevans för det här diskuterade problemet.

I samband med birkarlaproblemet brukar åberopas de ovan i andra sammanhang diskuterade dokumenten Tälje stadga 1328, Magnus Erikssons förnyelse härav 1340, Erik Magnussons bekräftelse 1358, Albrekt av Mecklenburgs vidimation 1377 samt Ingevald Birgerssons, konung Hans' ombudsman i Västerbotten, öppna brev 1498 om att birkarlarna skall förbli vid sina gamla rättigheter gentemot lapparna vid Västerhavet. Något senare under år 1498 förbjuder Christiern Bagge, konung Hans' fogde på Stockholms slott, fogdar och invånare i Norge att hindra lappfogden och birkarlarna att i enlighet med ålder och sedvänja färdas in i Norge för att hämta sin »baerning». I en dom från 1424 reglerar lagmannen i Uppland, Nils Gustafsson, lappefararnas inbördes intressen, sedan de kommit att göra varandra »storan orett». Fogden i Norrbotten Sten Henrikssons intyg av den 27 december 1454 gäller en tvist om några lappar mellan birkarlarna och deras »Skifftebröder af Taueſteland». Ett dombrev givet i Torneå 1420 (bevarat i en vidimation från 1489) kan också vara av intresse i dessa sammanhang. Det gäller klagomål från »alla menoga allmoga som Lappefarer äre, medh alla Birckerla högeliga, huru lössmen utaff Taueſteland /.../» orätt kräver skatt i lappmarken.[3]

---

[1] Se ovan s. 20 i not 14 samt s. 24 i not 33 anförd litteratur.

[2] För en forskningsöversikt kring detta problem se t.ex. *B. Steckzén*, Birkarlar och lappar (1964) s. 15—118 samt på senare tid även *J. Vahtola*, Tornionjoki — ja Kemijokilaason asutuksen synty (1980), s. 489—511.

[3] Tryckta versioner av resp. brev återfinns enl. följande: *DS* IV nr 2676 (1328 års

Det är alldeles uppenbart att ovanstående brev reglerar ekonomiska intressekonflikter i lappmarken. Men vad säger alla dessa brev i *bebyggelse-historiskt* avseende? De är av intresse främst i samband med områdets ekonomiska utveckling och för belysning av de grupper, som därvid varit involverade. Breven säger också en hel del om överhetens attityd till de befolkningsgrupper vars livsrum var lappmarkerna med dess naturresurser. Dessa beskattades med stor självklarhet. Men detta säger självfallet inget om *när* lappmarkerna tagits i anspråk av birkarlarna och med dem rivaliserande intressegrupper.

Det torde inte råda något tvivel om att senmedeltiden avspeglar ett uppvaknande intresse för och kanske en hårdnande intressekonflikt inom området kring Norra Bottnen. Detta avspeglas också i striden om stiftsgränsen mellan Uppsala ärkestift och Åbo stift.

Redan i mitten av 1340-talet skulle ärkebiskop Hemming enligt en uppgift ha varit på tjänsteresa till Norrbotten och då bl.a. döpt ett tjugotal lappar och finnar i Torneå. På vägen mellan Torneå och Luleå skulle han även ha sammanträffat med biskop Hemming från Åbo, varvid de sinsemellan överenskommit om att stiftsgränsen mellan Åbo stift och Uppsala ärkestift skulle gå mellan Kemi och Torneå.[4] På 1370-talet ville den dåvarande ärkebiskopen Birger Gregersson utvidga ärkestiftet och flyttade gränsen ner till Ule älv och Ule träsk. Aktionen mötte motstånd från Bo Jonsson, vilket framgår av ett brev från denne till ärkebiskop Birger. I detta brev av den 9 maj 1374 hänvisar Bo Jonsson även till samstämmiga utsagor av präster och invånare i Finland om att alla församlingar upp till och med Kemi alltid hört till Åbo biskopsdöme.[5]

Invånarna i Finland hölls ej heller sysslolösa. I två brev utfärdade den 16 juli 1374 vid Kumo kyrka intygas av inbyggarna i Satakunta att Kemi församling sedan urminnes tid hört till Åbo stift.[6] På våren året därpå intygar borgmästare och råd i Åbo, att kapellen Kemi och Ijo har legat

brev), nr 3473 (1340 års brev); *HSH* 29, s. 18 ff (1358 års brev), s. 26 ff (1424 års brev), s. 29 f (1454 års brev), s. 30 f (1489 års vidimation), s. 32 f (1498 års brev) samt s. 34 f Christiern Bagges brev 1498).

För 1377 års vidimation se *FMU* I nr 864 samt not till *DS* IV nr 2676.

Av alla dessa brev är endast Christiern Bagges brev 1498 bevarat i original (Sv. Riksarkivet). För en kommentar till några av breven se ovan s. 42 f.

För de anförda brevens roll inom forskningen kring birkarla-problemet se ovan i not 2 citerad litteratur samt recensioner av Steckzéns ovan i not 2 anförda arbete av *E. Anthoni*, FHT 1964 s. 93—99 samt av *S. Dahlgren*, HT 1965 s. 213—219. Se även *A. Luukko*, artiklarna Birkarl, Birkarlahandel resp. Birkarlaskatt, i KLNM, 1 (1956).

[4] Resan omtalas i ett brev från 1374 (*REA* nr 230).

[5] *FMU* I nr 822.

[6] *REA* nr 224 resp. 225.

under Åbo domkyrka »aff alder /. . ./, swa at engen finz then met oss som annat minnis, oc thetta troom vy santh at vara, for thy att vi haffwm aldrigh annat sporth.».[7]

Men ärkebiskopen å sin sida var inte heller han overksam. Sommaren och hösten 1374 företog han en visitationsresa upp till de nordnorrländska församlingarna. Vid en rad platser passade han på att där hålla rannsakning med ortsbefolkningen i avsikt att vinna stöd för sin uppfattning om stiftsgränsens dragning. De därvid upprättade protokollsanteckningarna finns bevarade i form av en sen 1400-talsavskrift.[8]

Det blev ärkebiskopens åsikt som vann gehör hos kungen så tillvida att Albrekt av Mecklenburg den 17 juni 1377 fastställde Ule älv som gräns mellan Uppsala och Åbo stift. På begäran av ärkebiskopen vidimerar han även i detta sammanhang Tälje stadga från år 1328, vars innehåll vi känner enbart genom denna vidimation. Som bekant föreskrivs i Tälje stadga fri bosättning i landet mellan Skellefte och Ule älvar.[9]

Ärkebiskopens framgång blev dock kortvarig, eftersom stadgandet om stiftsgränsen inte kom att få särskilt stor praktisk giltighet, och snart hörde Kemi åter till Åbo stift.

Hur stort *bebyggelsehistoriskt* intresse har nu denna strid om stiftsgränsen?

Genom andra tidigare brev från början av 1300-talet vet vi redan sedan förut, att det fanns församlingar här uppe vid denna tid. Av ett brev daterat Stockholm den 23 augusti 1329 angående tionde från Salo och Kemi framgår nämligen, att det i Kemi fanns en församling redan vid slutet av 1320-talet.[10]

Striden om stiftsgränsen på 1370-talet är därför i första hand belägg för att det fanns starka intressemotsättningar i området kring Norra Bottnen och att dessa intressen var värda att kämpa för. Trots kunglig sanktion lyckades inte ärkebiskopens försök att utvidga ärkestiftet i norr. Det tyder knappast på att gränserna var flytande och hade dålig hävd.

Sammanställs dessa uppgifter med dem som analyserats fram ur tidigare i framställningen behandlat skriftligt källmaterial,[11] framträder bilden av ett ekonomiskt expansivt område, där flera olika intressegrupper varit aktiva. Denna aktivitet har till mycket stor del riktats mot älvarna och det rika fisket i dessa. Det var detta och den givande skinnhandeln, som var av störst intresse för stridande parter. Det är därför följdriktigt att endast älvarna nämns som bestämningar i de flesta tidiga 1300-talsbreven, detta

---

[7] *REA* nr 231.
[8] *REA* nr 230.
[9] *FMU* I nr 854.
[10] *REA* nr 53.
[11] Se avsnittet *Bondebygd blir till*, spec. s. 35—47.

oaktat om det vid denna tid fanns jordbrukande invånare eller ej i älv-dalarna. Utifrån iakttagelsen om intensifierat utnyttjande av naturresur-serna är det inte möjligt att utan vidare sluta sig till, att även bebyggelsen expanderat under denna tid. Dessa företeelser måste bevisas var för sig.

Det skriftliga materialet från 1300-talet innehåller således främst upp-gifter om att statsmaktens intresse för området nu är i behov av skriftlig kodifiering, varigenom kronans rätt till området markerades. De konflik-ter, som ovan inringats utifrån materialet om birkarlarnas verksamhet resp. stridigheter kring stiftsgränsen, vittnar om att det vid sidan om kro-nan även funnits andra grupper med intressen i området.

Mot bakgrund av dessa iakttagelser kan uppadministreringen av Norra Bottnen framförallt ses som ett led i den mellansvenska centralmaktens strävanden att just fr.o.m. 1300-talets ingång skapa ett sammanhängande rike med en stark centralmakt som utgjordes av adel/rådsaristokrati och kungamakt.[12] En stärkt kungamakt och en fastare organiserad rådsaristo-krati, dvs. en mer utvidgad centralmakt, drog större kostnader och därför uppstod behovet av en fastare ekonomisk bas för denna maktutövning.[13] Till skapandet av en sådan bas skulle även naturrikedomar i området kring Norra Bottnen bidraga. Kriget och freden med Novgorod, Nöteborgsfreden 1323, var ett led i dessa konsolideringssträvanden.

Senmedeltiden, 1500- och 1600-talen ser ständigt ökade makt- och äganderättsanspråk från kronan.[14] Detta ger bl.a. utslag i ett starkare hävdande av de regalrättsliga anspråken, dvs. att kronan hade rättsligt före-träde till vissa naturtillgångar. Redan i landskapslagarna, dvs. före 1300-talets början, finns spår av denna uppfattning t.ex. i synen på allmännings-jorden. De kungliga äganderättsanspråken gör sig gällande även beträf-fande de stora vidderna i Norrland. Såväl Magnus Erikssons landslag som senare även Kristoffers landslag stadgar att kungen ägde rätt till en tredje-del av alla avgälder från allmänningarna. Till samma fastighetsrättsliga uppfattning hör också hävdandet av vatten- och fiskeregal. Det under 1400-talet uppdykande kungsådreinstitutet hade till syfte inte bara att säkra vattenfarlederna som kommunikationsvägar utan främst att utgöra skydd för fisket bl.a. i de norrländska älvarna.[15]

---

[12] Se t.ex. G. *Inger*, Svensk rättshistoria (1980), s. 11 f, 18 ff.

[13] För en syntetiserande framställning kring denna problematik se E. *Lönnroth*, Stats-makt och statsfinans i det medeltida Sverige (1940), spec. s. 42—56.

[14] För detta och den efterföljande diskussionen kring regalrätten se G. *Inger*, Svensk rättshistoria (1980) s. 43 ff samt där anförd litteratur.

[15] Under 1500-talet lyckades Vasa-kungarna genomdriva ett allmänt regal till söt-vattensfisket i alla vattendrag där det fanns kungsådra, se G. *Inger*, a.a. s. 108. I ett brev till norrlänningarna (GVR, 14., s. 40) utvecklar kung Gustaf sin regalrättsliga syn. På sitt karakteristiska sätt passar landsfadern på att i förbifarten läxa upp norrlänningarna

Grunden till denna regalrättsliga syn fanns i de inom svensk medeltids-rätt accepterade formerna av jordförvärv, där bl.a. begrepp som »laga fång», »urminnes hävd» etc. innebar, att tidigare icke ianspråktagna nyttigheter tillföll den, som först tog dem i anspråk och samtidigt kunde påvisa, att det inte fanns någon annan ägare.[16] Jungfruligt land tillföll således den förste som tog det i anspråk för nyttjande av dess resurser.[17] I ett sådant sammanhang måste det vara viktigt för kronan, dvs. rådsaristokrati och kungamakt, att hävda det här aktuella områdets jungfrulighet. Bl.a. var det viktigt gentemot redan i området befintliga inbyggare. De i 1300-tals-breven inte ovanliga termerna »öde bygd», »upplåtet för odling» etc. framhåller ju att inga territoriella anspråk kunde resas från andra håll. Efter freden med Novgorod var det naturligtvis av största intresse att markera områdets gränser och att det däri innefattade området tillhörde en svensk intressesfär.

Norra Bottnens tidiga inbyggare har säkerligen tagit jordstycken i anspråk för bosättning och uppodling utan att behov förelegat att i skriftliga dokument kodifiera några gränsmarkeringar.[18] Det fanns gott om bytesdjur och fisk, och det har knappast rått någon kamp om de odlingsbara ytorna. Dessa tidiga inbyggare har haft andra territoriella uppfattningar än dem, som avspeglas i skatte- och kyrksocknar.

När statsmakten beskriver området som jungfruligt och i avsaknad av invånare med proklamerad äganderätt till befintliga nyttigheter, behöver det varken bero på någon medveten nonchalans från statsmaktens sida eller på att området saknat inbyggare.[19] Det kan i stället förklaras med att statsmaktens territoriella uppfattning och rättsmedvetenhet skilt sig från inbyggarnas. Senare exempel visar att rikets höga herrar inte alltid varit medvetna om vem som ägt bondejorden.[20]

för att de saltar och konserverar fisken så dåligt att den är sur och fördärvad då den når Stockholm.

[16] Se *G. Inger*, a.a. s. 36 ff samt s. 106 ff. Observera i detta sammanhang det s.k. Helgeandsholmsbeslutet — ett brev, vari förklaras att all ouppodlad jord, de större vattendragen, malmfyndigheterna och skärgårdsöarna med fiske tillhörde kronan. Dokumentet dök första gången upp under Johan III (1568—1592) och användes som juridisk bas för kronans regalrättsliga anspråk. Först Styffe visade vid mitten av 1800-talet att dokumentet var en förfalskning (se *G. Inger*, a.a. s. 106).

[17] För jämförande studier kring detta se *T. Malmberg*, Human Territoriality (1980), s. 92 f. Malmberg behandlar här bl.a. det isländska landnamet.

[18] Det finns dock ett mycket tidigt belägg på en privaträttslig reglering genom ett testamente, som en bonde i Rutviks by, Lule älvdal, på årets första dag 1339 upprättar i det att han testamenterar all sin fasta och lösa egendom till Uppsala domkyrka (*DS IV* nr 3409).

[19] Jfr *T. Malmberg*, a.a. s. 70—74 spec. s. 71.

[20] Till Luleå stad donerades vid dess grundläggning 1621 sedan länge ägd bondejord utan att någon hänsyn togs till om den tidigare ägdes av någon. Endast vid förevisande

Området kring Norra Bottnen har i början av 1300-talet varit jungfrulig mark endast för centralmaktens administratörer och skattekrävare men ej för de inbyggare som redan då i århundraden fått sin bärgning genom jakt, fiske, boskapsskötsel och åkerbruk. Men för att skatter skulle kunna utkrävas och området föras in under den svenska kronan måste området rumsligt organiseras och administreras. Administreringen är ett tecken på tilltagande konkurrens och åtstramning. Det allt starkare hävdandet av regalrättsliga anspråk är ett av många utslag på att senmedeltiden kännetecknas av en mer markerad kamp om försörjningsmedlen, då centralmakten strävar efter att samla resurserna i sin hand. Tidigare har förmodligen tillgången på skogs- och vattenområden ansetts vara obegränsad. Det är först vid verklig konkurrens om resurserna som det uppstår behov att hävda regalrätt till ouppodlad jord, vatten- och fiskeregal. Det är i denna utrikes- och inrikespolitiska miljö, som de refererade dokumenten har tillkommit.

Sammanfattningsvis ger denna framställning således uttryck för uppfattningen, att de dokument, som vanligtvis brukar åberopas vid beskrivningen av Övre Norrlands kolonisation under senmedeltiden, inte alls utgör någon lämplig grund för sådana bebyggelsehistoriska rekonstruktioner. Snarare ger de uttryck för den framväxande centralmaktens behov och regalrättsliga syn.

Enbart med utgångspunkt i detta material är det omöjligt att avgöra, huruvida den medeltida bebyggelseutvecklingen i Övre Norrland kännetecknas av utvidgning, stagnation eller tillbakagång. Det finns då inget skäl att till detta material ställa sådana bebyggelsehistoriska frågor, som detta inte kan svara på. I all synnerhet gäller detta, då andra material och därmed förenade analysmetoder bättre kan bidra till lösningen av det uppställda problemet.

Föreliggande undersökning har den avgörande fördelen gentemot tidigare historisk forskning, dvs. expansionsteoriens företrädare, att resonemangen här kunnat underbyggas med de senaste resultat, som nåtts inom andra discipliner. Ingenting i den tvärvetenskapliga analysen tyder på en omfattande expansion i området under 1300- och 1400-talen eller på att området först då börjat koloniseras. Tvärtom framtonar i stället bilden av

av så gamla domar som från 1408 och 1550 lyckades bönderna freda sin jord. Se *B. Steckzén & H. Wennerström*, Luleå stads historia 1621—1921 (1921), s. 51—57.

Jfr även kronans kolonisationspolitik under 1500-talet. För detta se *L.-O. Larsson*, Kolonisation och befolkningsutveckling i det svenska agrarsamhället 1500—1640 (1972) s. 173 f. samt *E. Österberg*, Social aspects i Desertion and Land Colonization in the Nordic Countries c. 1300—1600 (DNÖ:s publ.-serie, 11. 1981) s. 216 ff.

en agrar aktivitet som börjat långt tidigare och drivits fram av andra mekanismer än man ansett inom tidigare forskning.

Det tvärvetenskapliga arbetssättet har på detta sätt varit en stor styrka för undersökningen. Det finns dock skäl att här också dröja vid de problem och överväganden, som varit förenade med valet av en sådan analysväg.

Tvärvetenskapens problem

Det tvärvetenskapliga samarbetet har varit förenat med vissa svårigheter av närmast vetenskapsteoretisk art.[21]

För en historiker har problemet bl.a. bestått i nödvändigheten av att fastställa om alla kunskapskategorier, alla resultat från andra inblandade discipliner, var relevanta för en historievetenskapligt inriktad undersökning. Var resultaten av jämförbart slag? Var de möjliga att integrera i en historievetenskaplig framställning? Forskningsobjekten, materialet och metoder att analysera detta med är ju inte desamma.

Gemensamt för alla inblandade discipliner var frågan om hur pass representativa resultaten var rent rumsligt. Det kan genast konstateras att den ideala undersökningssituationen från denna synpunkt inte var möjlig att realisera. De paleoekologiska undersökningarna var koncentrerade till vissa, avgränsade delar av undersökningsområdet. Dessa är oftast endast representativa för utvecklingen inom en mycket begränsad region.[22]

De arkeologiska utgrävningarna utgjorde närmast små oaser i en i övrigt okänd öken. Den systematiskt utförda namnundersökningen var koncentrerad uteslutande till Tornedalen. Det skulle naturligtvis ha varit önskvärt med betydligt fler, och över undersökningsområdet mer utspridda undersökningar av dessa slag. Ekonomiska, sociala, institutionella faktorer och inte minst tidskostnadsskäl gjorde att undersökningen ur denna synvinkel inte kunde bli ideal. Arkeologiska utgrävningar och paleoekologiska undersökningar kräver stora personella insatser och stor tidsutdräkt, varigenom de blir mycket kostsamma. I sammanhanget bör dock erinras om att även det bevarade skriftliga materialet har begränsad geografisk representativitet, även om detta inte alltid har uppmärksammats. Det är endast vissa delar av undersökningsområdet och vissa aspekter på detsamma som berörs i detta material.

Det hade vidare varit mycket önskvärt att fler paleoekologiska analysmetoder varit involverade i samarbetet. Nu begränsas denna undersökningsinriktning till den pollenanalytiska arbetsmetoden. Det hade varit lämpligt

[21] För en bakgrund till nedanstående diskussion se ovan s. 29 i not 47 anf. litt.
[22] För en diskussion kring detta se avsnittet *Ogräs i odlingshistoriens tjänst*, s. 46 ff, 78 ff.

att även ta i anspråk t.ex. dendrokronologi och sedimentationsanalys eftersom det i området finns materialförutsättningar för sådana undersökningar.

Tidigare i framställningen har vi försökt uppmärksamma de metodiska krav, som ställs inom de olika inblandade disciplinerna. Medvetenheten om detta är en förutsättning för att resultaten skall kunna integreras till en gemensam resultatrapportering.

Det kan i detta sammanhang vara viktigt för en historiker att uppmärksamma att även en pollenanalytisk undersökning innehåller många problem som artmässigt inte skiljer sig mycket från dem, som förekommer vid analys av skriftligt material.[23] Det är således självklart att arkivmaterialet inte ger en fullständig bild av det faktiska händelseförloppet. Det kan givetvis också ha förekommit odlingsförändringar utan att dessa går att spåra i pollenarkivet. I dessa finns endast skärvor av en komplicerad odlingshistorisk mosaik.

Precis som i historiska undersökningar finns det i pollenanalysen starka inslag av subjektiv tolkning, som är kopplad till undersökarens erfarenheter och insikter om tidigare observerade samband.

Det finns t.ex. vid varje pollenanalys risk för s.k. långflyktspollen eller att pollen förväxlas. Det är därför viktigt att hela pollenkomplexet undersöks. Det är sammanhanget, kontexten, som fastställer tolkningsramen för analysen av pollenarkivets innehåll. På alldeles samma sätt är det ju omöjligt att tolka skriftligt material utan att ta hänsyn till den miljö, i vilket det tillkommit. Tolkningsmomentet vid pollenanalys gäller således inte bara artbestämningen vid mikroskopet utan även »läsningen» av pollenflorans sammansättning, dvs. då forskaren tillämpar sin växtekologiska kunskap. En stor del av de kvartärbotaniska forskningsresultaten bygger på att iakttagbara förhållanden relateras till ett antaget och tidigare observerat regelmässigt uppträdande av växterna. Det är mot bakgrund av en sådan antagen lagbundenhet, som de växtekologiska analyserna görs. Dessa resultat används sedan för att förklara utvecklingen på en bestämd plats, där skeendet i sin komplexitet kan misstänkas vara unikt.

Växtekologin är ett uppbyggt system av iakttagbara beroendeförhållanden mellan växterna, naturförutsättningar som jordmån, klimat etc. och människans aktivitet.

Arkeologiskt undersökta platser analyseras i sin tur utifrån tidigare konstaterade typologier och på basis därav uppställda kronologiska skiktningar.

Namnforskning bygger i hög grad på accepterandet av generellt verkande mönster för t.ex. ljudutveckling etc. Det blir härvid mindre viktigt

[23] För en utförligare diskussion kring detta problem se ovan i not 22 anfört arbete s. 46—54.

om ett enskilt namn ej faller in i detta mönster, om blott den stora massan namn gör det.

Man bör således vara medveten om, att även de här redovisade tvärvetenskapligt förankrade resultaten har begränsad räckvidd. Men varför skulle högre krav ställas på den tvärvetenskapliga forskningsprocessens struktur än på den traditionellt historievetenskapliga? Det rika speptrumet av olika material och olika analysmetoder bör, i den mån de ger samstämmiga resultat, ge större representativitet för lösningen av det uppställda problemet.

I ovanstående redovisning har jag riktat stark misstro mot det skriftliga materialets möjligheter att belysa kolonisationens orsaker och förlopp. Den skrifthistoriskt inriktade forskningen har tidigare varit alltför fixerad vid det skriftliga materialet och därför lagt tonvikten vid de situationellt betingade faktorer, om vilka detta material i första hand ger upplysning. Fredsbestämmelser och ett uppvaknande statsintresse har för denna forskning blivit de faktorer, som bestämt bebyggelsens tillkomst, varvid de genom det skriftliga materialet angivna tidsramarna även fått utgöra tidtabell för den faktiska bebyggelseutvecklingen.

I föreliggande undersökning har kontakt med andra discipliner lett fram till insikten om att grunderna för 1500-talsbebyggelsens utbredning i stället måste sökas i ett mer långsiktigt perspektiv, där sökandet inriktas mot betingelserna för den uppkomna bebyggelsen. I detta sökande har det ekologiska respektive det teknologiska perspektivet använts som sökinstrument. Tillvägagångssättet har i första hand lett fram till en total omprövning av det skriftliga materialets innebörd. Tillsammans med de tvärvetenskapliga resultaten har detta gett underlag för en bebyggelsehistorisk rekonstruktion i tentativ riktning. Låt oss därför avslutningsvis diskutera denna.

Resultatsammanställning

Vi skall här sammanställa de olika resultat som framkommit i det tvärvetenskapliga samarbetet och därigenom samtidigt söka skapa ett bebyggelsehistoriskt sammanhang.

Redovisningen sker älvdal för älvdal på ett sätt, som inte skett systematiskt tidigare i undersökningen.[24]

[24] De enskilda forskningsresultat som ligger till grund för nedanstående sammanställning har mer ingående redovisats i andra partier av framställningen.

För de *skriftanalytiska* resultaten se ovan s. 31—65; för de *arkeologiska* resultaten se ovan s. 91—96; för *namnvetenskapliga* resultaten se s. 82—91; för de *pollenanalytiska* resultaten se avsnittet *Ogräs i odlingshistoriens tjänst*, s. 56—77.

I *Tornedalen* har tre lokaler varit föremål för arkeologiska undersökningar. Det är Hietaniemi, Kainuunkylä och Oravaisensaari. Av dessa ligger de två förstnämnda mitt emot varandra på var sin sida om älven i det som av allt att döma varit det tidiga Tornedalens hjärtland — Hietaniemiselet med dess sedimentholmar och översvämningsängar (se ovan s. 68, fig. 4). Längre ned efter älven vid själva mynningsområdet ligger den tredje lokalen, Oravaisensaari. Med tanke på den fortgående landhöjningen har närheten till havet förmodligen varit betydligt mer uttalad under t.ex. medeltiden. Enligt landskapshandlingarna från första hälften av 1500-talet är detta område vid sidan av Hietaniemi-området det andra stora bosättningsområdet i Tornedalen vid denna tid.

Pollenanalytiska undersökningar tyder på att Oravaisensaari tagits i anspråk för jordbruk med tonvikt på boskapsskötsel så snart som landhöjningen gjort området tillgängligt för människan, vilket har skett någon gång på 1100-talet. Därefter synes en viss avmattning av resursutnyttjandet ha ägt rum, men fr.o.m. 1400-talets början är den jordbrukande människans närvaro konstant i Oravaisensaari. Till denna tid kan också det äldsta arkeologiska fyndmaterialet från platsen dateras. Av detta att döma har då bosättningen närmast varit att likna vid en storbondgård, som haft kontakter inte bara uppåt älvdalen in mot lappmarkerna, utan även med Centraleuropa och kanske även med Ryssland.

Att de första tornedalingarna nyttjat denna nedre del av älvdalen på ett mycket tidigt stadium omvittnas i pollenanalysen från det närbelägna Ahvenjärvi. Där kan säsongsmässigt uppsökta odlingar konstateras ha funnits redan på 300-talet e.Kr.

De första kända odlingarna i Tornedalen har dock funnits i anslutning till Hietaniemi-selet. Redan flera årtusenden före Kristi födelse har människan här börjat forma ett kulturlandskap, även om inverkan på den omgivande skogen är blygsam. Ganska snart finns dock tydliga tecken på beteslandskap och spår efter svedjeodlingar. Inom kort påträffas lämningar efter skogsröjning, boskapsskötsel och sädesodlingar också på sluttningarna ned mot Torneälven. Det är tveksamt om dessa spår avspeglar någon fast bosättning nere vid älven. Av pollenanalysen att döma har bosättningen förmodligen funnits någon kilometer inåt landet. Fr.o.m. mitten av 1000-talet e.Kr. har dock Kainuunkylä haft fast bosättning. Fram emot senmedeltiden överges det ambulerande jordbruket för en odling på permanenta åkerfält. Växtsammansättningen under de olika århundraden, som undersökningsnivåerna representerar, vittnar dock om att denna övergång från svedjebruk varit en långsam process, där de olika odlingsformerna fungerat sida vid sida under lång tid.

I det arkeologiska materialet dyker denna jordbrukande bosättning upp på 1100-talet i fynden från Kainuunkylä. Detta material innehåller också inslag av lapsk påverkan.

Tvärsöver älven, vid Hietaniemi, har ute på en udde funnits en handelsplats från åtminstone slutet av 1200-talet, vilken fungerat som en knutpunkt mellan lappmarkerna och omvärlden, som i fyndmaterialet representeras av Karelen, Ryssland och södra Baltikum. Försvarsanläggningar, gravar, lämningar efter järnförädling och tjärframställning tyder på att platsen inte bara varit tillfälligt utnyttjad.

Den bild av utvecklingen i Tornedalen, som på så sätt träder fram, styrks av resultaten från namnundersökningen. Från olika delar av det finska språkområdet har olika kolonisationsvågor nått Tornedalen vid skilda tidpunkter. Det västfinska inflytandet svarar därvid för kontinuiteten och synes ha varit rådande från åtminstone 1000-talet och fram till 1600-talet. Även i de språkliga lämningarna kan det äldsta inslaget lokaliseras till Hietaniemi-området. Detta skikt härstammar från Tavastland, medan ett yngre karelskt inflytande från c:a 1100—1300 återfinns i namnen nere i Oravaisensaari-området. Vid sidan härav finns ett tidlöst lapskt inflytande samt även spår efter skandinaviska och tyska influenser, även om dessa senare är mindre märkbara. Tyska namninslag styrker antagandet, att handelsresor från södra Östersjö-området sträckt sig ända hit upp. Tornedalen framträder därvid som en ekonomisk knutpunkt för skilda intressen från bl.a. Novgorod och södra Baltikum. Tornedalen som västfinsk intressefär är även omvittnat i det skriftliga materialet. Tornedalen har också stått i centrum för en intressekonflikt mellan Uppsala ärkestift och Åbo stift.

I Torneå har förmodligen funnits en kyrka redan vid 1300-talets början eftersom en sådan omtalas i det skriftliga materialet. Vid sidan om denna huvudkyrka har i älvdalen även funnits ett medeltida kapell i Särkilax, nuvarande Övertorneå, strax ovanför Hietaniemi. Kapellet omtalas första gången 1482, men har rimligen funnits dessförinnan. Det spolades bort av en häftig vårflod 1615, varför inga andra lämningar än träskulpturer finns kvar. Dessa i Övertorneå nuvarande kyrka förvarade skulpturer tyder på att Särkilax kapell i det avlägsna Tornedalen förfogat över en märklig konstskatt.

I landskapshandlingarna från första hälften av 1500-talet framträder Tornedalen som en väl etablerad bygd med 30-talet byar utspridda uppefter älven ända upp till den nordligaste byn, Pello, med 10 skattande bönder. Byn har dock funnits redan vid 1400-talets början, då det av ett dokument att döma, vid denna tid förelegat behov att fastställa byns gränser gentemot omgivningen.[25] Hietaniemi-selet respektive Oravaisensaari-området är vid denna tid älvdalens stora bebyggelsecentra.

[25] Se K. Julku, Keskiaikainen tuomio Pellon rajoista. Oulun yliopisto, Historian laitos, Eripainossarja, 20 (1975).

I Sangis strax söder om Torneå finns en vendeltida grav i anslutning till vad som vid tiden för gravens anläggande måste ha varit en havsvik. Som enskild företeelse analyserad är det svårt att avgöra om denna grav är lämning efter en förbipasserande handelsman (på väg mot Torneå?), eller om en närbelägen bosättning här har jordat en av sina husbönder. Den inte långt härifrån belägna gravhögen i Espinära har ännu inte undersökts, varför det är omöjligt att tolka dess förekomst i någon bestämd riktning.

I nedre delen av *Kalix älvdal* har vid slutet av 1400-talet tillkommit en stenkyrka som samlat älvdalens då ganska väl utbredda befolkning. Uppefter älvdalen fanns mot mitten av 1500-talet c:a 180 skattande bondehushåll fördelade på 33 byar. Bebyggelsekoncentrationer förekommer dels nere vid älvmynningen och dels uppe vid Överkalix-deltat (se ovan s. 68, fig. 5).

Ytterligare en bit söderut träffar vi på *Töre-bygden*. Också den är väldokumenterad i de tidiga 1500-talshandlingarna. Den var då en väl utbredd bygd. Mitt i den nuvarande centralorten har påträffats en rik silverskatt som av för oss okänd anledning har gömts i jorden någon gång under 1300-talet. Föremålen i denna vittnar om rika kulturkontakter åt olika håll (se ovan s. 103, fig. 12). Någon mil uppefter Töre-älven har helt nyligen påträffats ett gravområde, som tyder på mycket gammal fast bosättning i detta område. Gravområdet har preliminärt daterats till järnålder—tidig medeltid (se ovan s. 102, fig. 11).

Bäst dokumenterad i det skriftliga materialet är *Luleå* socken. Flera byar omnämns eller antyds existera redan i material från första hälften av 1300-talet, medan ytterligare några dyker upp i material från 1400-talets början. I handlingarna från 1500-talets första hälft framträder socknen med den utbredning den sedan skulle ha under de närmsta århundradena. I nedre Luledalen har vid 1400-talets början tillkommit medeltidens mest imponerande kyrkobyggnad i Övre Norrland — Lule Gammelstads stenkyrka (se ovan s. 69, 102, fig. 6 resp. 10). Av ett dombrev från den 30 juni 1409, framgår, att kyrkplatsen då varit densamma som senare. En omtvistad del av prästbordet sägs här ha tillhört prästbordet präst efter präst. Så heter det alltså redan 1409. Lule-området är rikt representerat i Stockholms stads tänkeböcker, vars uppgifter vittnar om många och nära förbindelser mellan Mälardalen och Lule-trakten åtminstone fr.o.m. 1400-talet. Vi vet ju också, att älvdalens fiske tidigt attraherat den mellansvenska centralmakten, som allt framgent här kommit att tillvarataga sina intressen. I älvdalen har endast *en* pollenanalytisk undersökning företagits. Platsen för denna, Edefors, ligger en bra bit ovanför den bebyggelse, som utifrån 1500-talshandlingarna framstår som älvdalens nordligaste. Det är därför anmärkningsvärt att man i Edefors-området funnit spår efter sädesodling från slutet av 1400-talet. Detta visar, att det förekommit odlingar längre upp efter älvdalen än de som skattlades under första hälften av 1500-talet.

Enligt det skriftliga materialet har *Pite-trakten* redan tidigt (1335) varit intresseområde för kretsarna kring förmyndarregeringen. Då fanns här sedan tidigare åtminstone handelsplats och kanske även kyrkort i Kyrkbyn invid älvens mynningsområde. Det har varit svårt att exakt datera när Kyrkby-området tas i anspråk för bosättning, men det torde av tillgängliga kriterier att döma ha skett någon gång mellan 1100 och slutet av 1200-talet. Vid slutet av 1300-talet har platsen övergivits, sedan den härjats av brand. Det är på nuvarande stadium av undersökningen svårt att fastställa om Kyrkbyn haft något större omland som bas för sin handelsaktivitet eller om den varit en isolerad kontaktyta mellan inlandet och omvärlden. En provundersökning med pollenanalytisk metod har företagits och resultatet tyder på att här funnits ett väl utvecklat beteslandskap alltsedan 1100-talet. Fyndmaterialet ger besked om att handeln i varje fall inte omfattat några primitiva hantverksprodukter. Platsens namn har lett till antagandet om att här tidigare funnits älvdalens första kyrka. Lämningar efter en sådan har dock ännu inte påträffats, då endast halva fornlämningsområdet hittills utgrävts. Kyrkan har sedan gammalt ägt jord i byn och fortfarande under 1500-talet representerar den älvdalens enda kyrkoägda jord, vilken utarrenderats. Platsens övergivande mot slutet av 1300-talet har också satts i samband med tillkomsten av den nuvarande medeltidskyrkan i Piteå-Öjebyn. Grundandet av denna bör förmodligen ses i samband med ett donationsbrev från den 14 april 1408.[26] Häradshövdingen i Norrbotten Peder Djeken donerar i detta brev tillsammans med sin hustru en del av det s.k. Öja-hemmanet till kyrkan. Enligt brevet hade kyrkan tidigare varit ägare till hela detta hemman men sedan avhänt sig det. Genom arv hade det nu kommit i Peder Djekens ägo, varvid han återskänker en del av hemmanet till kyrkan.

I anslutning till stenkyrkan finns ett kastal-liknande klocktorn som sannolikt är äldre än stenkyrkan. Detta skulle alltså vara Norrbottens äldsta bevarade byggnad (se ovan s. 104, fig. 12b).

Medan det för området öster om Bottenviken finns utförliga pollenanalytiska undersökningar, saknas sådana för den västra sidan i stort sett från Tornedalen och söderut ned till Ume älvdal, där nästa från denna synpunkt

---

[26] Brevet är bevarat i form av en sen 1500-talsavskrift förvarad i Kyrkoarkivet, HLA. Se vidare härom i *A. Bygdén*, Källorna till Piteå sockens äldsta historia (1921), s. 30 ff.

välundersökta område finns. Naturligtvis kan resultaten från dessa undersökningar inte anses spegla utvecklingen i hela det enorma mellanliggande området omfattande bl.a. Kalix, Lule och Pite älvdalar. Det har dock sitt givna intresse att konstatera, hur vegetationsutvecklingen på de undersökta platserna gestaltat sig samt understryka det faktum, att för de lokaler som undersökts ur paleoekologisk synpunkt, är resultaten samstämmiga. Jordbruksbygden i dessa områden har etablerats långt förr än man inom tidigare forskning antagit. Mot bakgrund av den gjorda genomgången älvdal för älvdal kan vidare konstateras att skilda material och metoder ger upplysning om skilda delar av den tidigare utvecklingen.

Namnmaterialet visar vilka språkliga influenser, som påverkat namnbildningen och ger samtidigt en grov tidsmässig skiktning av kolonisationsförloppet. Delar av det arkeologiska materialet och det skriftliga materialet ger information om vilka handelsintressen och kulturkontakter, som varit knutna till området redan vid ingången av 1300-talet. Andra delar av det arkeologiska materialet ger bebyggelsehistorisk information, som tyder på etablerad bygd redan dessförinnan. Även beträffande det arkeologiska materialet gäller dock det konstaterandet, att det endast är några få lokaler som undersökts inom ett mycket stort område. Som tidigare påpekats innehåller det skriftliga materialet i första hand information om vilka ekonomiska intressen som riktats mot området. I det skriftliga materialet finns framför allt nedslag efter statlig och kyrklig aktivitet, dvs. efter de styrande kretsarna inom den nyskapade centralmakten, medan bondeaktiviteterna förblir orepresenterade i detta material. Dessa finns i stället rikt representerade i den kulturlandskapsutveckling, som kan rekonstrueras med hjälp av pollenarkivens innehåll. Det är dock ofta inte möjligt att göra någon mer finavstämd kronologisk skiktning mellan huruvida de konstaterade jordbruksaktiviteterna härrör från ett extensivt nyttjande av stora resursytor eller är spår efter fast bosättning i anslutning till permanent brukade åkerfält. Vi får räkna med att skogarna erbjudit en rikedom på bytesdjur och älvar och att sjöar erbjudit ett rikt fiske. Därtill har vinterfoder till husdjur kunnat bärgas från ängsmarker i anslutning till älv- och sjöstränder. Den form av erämarksbruk, som dessa näringsfång tillsammans med såväl svedjeodling som odling i permanenta åkerfält representerar, har på många ställen inom området konstaterats vara rådande långt in i modern tid. I nuvarande forskningsläge är det utomordentligt svårt att fastställa den tidpunkt när detta extensiva utnyttjande av resursytorna på olika ställen bebyggelsemässigt knutits till bosättning i permanenta byar.

Slutord

För att öka vår bebyggelsehistoriska kunskap är det naturligtvis av största intresse att föra diskussionen vidare kring bebyggelseetableringens orsaker samt försöka precisera, hur bebyggelsen vid skilda tidpunkter formerat sig. Undersökningen har genomförts som en analys i ett ekologiskt respektive teknologiskt perspektiv. De framkomna resultaten har visat fruktbarheten av att sådana tvärvetenskapliga diskussioner förs. Fortsatta undersökningar måste dock göras. Man kan t.ex. misstänka att den mellan Tornedalen och Luledalen särskiljande teknologiska nivån haft sina bebyggelsemässiga orsaker och fått motsvarande konsekvenser. Tornedalen har ursprungligen varit en knutpunkt för handeln och en stor del av dess näringsliv har gett produkter, som lämpade sig för avlägsna marknader. Söderifrån kommande tyska handelsmän och österifrån kommande ryska har här strålat samman med leverantörer av älvdalens produkter. Tornedalens jordbruk har varit starkt inriktat på boskapsskötsel, medan Luledalens mer inriktats mot åkerbruk. Även här har fisket spelat en stor roll om än inte lika stor som i Torneå. Vilken betydelse har dessa särskiljande faktorer haft för bebyggelseförloppet? Har det funnits ett befolkningstryck, som gjort sig gällande i den ena älvdalen men ej i den andra eller fått artskilda konsekvenser i de olika älvdalarna mot bakgrund av de olika naturförutsättningarna?

Med de resultat som för närvarande föreligger kan den nordbottniska utvecklingen tyvärr inte diskuteras i dessa termer. Ytterligare arkeologiska och inte minst paleoekologiska undersökningar skulle behövas för att ge underlag för en sådan analys.

Tillsvidare får vi nöja oss med att ha gett en ny tidtabell för den nordbottniska bondebygdens tillkomst oavsett vilken form den gestaltat sig i. Den kan konstaterats ha tillkommit långt före den tidpunkt som antagits av tidigare forskning. Denna omorientering har varit möjlig genom att analysen av det skriftliga materialet kopplats till ett tvärvetenskapligt samarbete, varigenom det skriftliga materialets uppgifter fått nytt betydelseinnehåll.

I Norra Bottnen får vi således ett landnam som i ålder synes vara jämförbart med det sydskandinaviska.[27] Med tvärvetenskapligt orienterade analyser har nyligen etableringen av de historiskt kända byarna för Sydskandinaviens del senarelagts till perioden 1000—1100.[28] Med den här presenterade tidigareläggningen av odlingen i Norrbotten närmar vi oss samma kronologi när det gäller att konstatera en på lång sikt betydande kulturlandskapsförändring. Perspektivet är tankeväckande, så mycket mera som

[27] Jfr avsnittet *Ogräs i odlingshistoriens tjänst* s. 56—81.
[28] Se S. *Skansjö*, Söderslätt genom 600 år (1983), s. 61—147.

här framlagda resultat har konsekvenser för hela Nordkalottens historia. Med den ändrade tidtabellen för bebyggelseutvecklingen i området kring Norra Bottnen nyanseras också uppfattningen om bebyggelseutvecklingen i hela Norden. Den tidigare generella uppdelningen av Norden i en sydvästlig regress-zon och en nordöstlig expansions-zon kan inte längre anses vara tillämplig. Resultat från andra nyligen genomförda undersökningar bidrar till att ge en mer nyanserad bild av den agrara utvecklingen i Norden under medeltiden.[29]

Flera av dessa undersökningar visar i likhet med den här redovisade på fruktbarheten av att bedriva undersökningen i ett tvärvetenskapligt sammanhang samt att analysera utvecklingen i ett längre tidsperspektiv. Denna forskningsstrategi har lett till nya och oväntade frågor, vid sidan av dem som uppstått ur ett äldre forskningsläge. I detta större interdisciplinära sammanhang betecknar den här framlagda undersökningen av Norrbottens äldre bebyggelsehistoria inte ett slut, utan en början.

[29] Se de resultat som framkommit inom *Det nordiska ödegårdsprojektet,* vilka i sammanfattad form publicerats i *Desertion and Land Colonization in the Nordic countries* c. 1300—1600 (1981). Bl.a. har ett annat område, norra Värmland, som av tidigare forskning betecknats som ett expansionsområde till och med påvisats ha haft viss ödeläggelse under senmedeltiden, se E. *Österberg,* Kolonisation och kriser (1977). Förutom i detta och ovan i not 27 anförda arbete har de svenska undersökningarna inom projektet mer detaljerat redovisats i *J. Brunius,* Bondebygd i förändring /Närke/ (1980); *K. Bååth,* Öde sedan stora döden var ... /Norra Vedbo, Småland/ (1983); *A. Persson,* Bebyggelseutveckling och ekonomi i delar av Södermanland ca 1300—1600 (pågående undersökning, Historiska institutionen, Lund); *S.-E. Sallerfors,* Gärds härad under dansk tid (opubl. lic.avh., 1974, Historiska institutionen, Lund) samt O. *Skarin,* Gränsgårdar i centrum /Västsverige/ (1979).

Peasant Pioneers

Studies of the Early Settlement History
of Sweden's Far North

Translation: Monica Udvardy

This study encompasses the early settlement history of the northernmost
region of Sweden until the mid-sixteenth century. A short summary of each
major section is presented here.

Introduction (Inledning) pp. 15—30

This historical investigation begins with a description of the researcher's
personal motivation for the study, the research environment at the time of
the study, and the current state of research on this topic. The research pro-
gram of which this study is a part is also outlined. Entitled *The Scandinavian
Research Project on Deserted Farms and Villages,* the goal of this larger
program is to document the agrarian development of the Nordic countries
during the Middle Ages. My investigation comprises examination of speci-
fic, sample periods within the selected time span, and has been carried out
under the auspices of "The Research Group on the Tornio River Valley's
Early Settlement History." Within this group, representatives of different
disciplines have worked side by side, and thus my research is of a pro-
nounced interdisciplinary character. Although each member of the research
team analysed his/her specific data with his/her special methods, these
diverse efforts shared a common goal: to clarify the history of the Tornio
Valley and the northern part of the Gulf of Bothnia.

The following issues are addressed in my study:

— From the point of view of an expanded time frame, how does the
actual emergence of settlements take place in northern Sweden up until
the settlement pattern characteristic of the mid-sixteenth century?
— How does this developmental pattern compare to that of the Arctic
areas of all the Scandinavian countries, these latter viewed as a single
homogeneous region? How does it compare to patterns emerging in the
rest of Sweden during this time period, and to a more general, overall
Nordic pattern?

— Is the quality of our historical knowledge of settlement patterns significantly improved if an interdisciplinary approach is adopted in a study of this kind? Is such knowledge significantly improved if the emergent patterns are analysed from a consciously selected perspective, e.g., from an ecological or technological perspective?
— What are the influences and effects of such purposive selection of perspective and a deliberate cross-disciplinary approach upon the choice of materials and methods, upon possible restructuring of the problem statements, and finally, upon the nature and quality of the results?

Peasant Population Emerges (Bondebygd blir till), pp. 31—65

In this section, the results of a restudy of all written source materials are presented. Analysis of these documents reveals that a different interpretation must be advanced for the data they contain. Previous research maintained that no real, permanent settlement was established in the study area prior to the fourteenth century, but that colonization subsequently took root and entered an explosive phase of development during the following century. This line of interpretation has long been standard in research circles, and as a result it has misled all historical settlement studies connected with the area. My findings show that there is no support for this earlier interpretation, and they thereby enable other research to view this settlement from entirely new vantage points.

These written materials demonstrate the area's increasing economic importance and show which groups were active in administering the region. This administrative apparatus provided the means by which the area was drawn into the Swedish central administrative authority's sphere of influence. In contrast to previous research, this reanalysis of the written materials concludes that not enough data are contained in these sources upon which to make a historical reconstruction of settlement patterns.

The Earliest Settlement in the Tornio (Torne) *River Valley*, pp. 71—100

Here, the analysis of written source materials is linked to relevant results of name research and archaelogical investigations.

Analysis of linguistic evidence remaining in place-name material indicates that colonization of the Tornio valley began gradually somewhere around 1000 A.D. and evolved in successive stages throughout the Middle Ages. In other words, it did not suddenly explode on the scene at the end of the Middle Ages as previous research would have us believe. A rough, relative place-name chronology gives evidence that the colonizers of the valley came from various regions in Finland at different times and settled in different parts of the river valley. However, the linguistic influence of western Finland is consistently noticeable and so is responsible for the continuity in linguistic influences.

Systematic place-name research with similar settlement-historical problem orientations have not yet been carried out for the other river valleys in the area. Hence, the results of this study are only applicable to the Tornio river valley.

Analyses of the archaeological material indicate that the earliest agricultural settlements found in the Tornio Valley date from the twelfth century. In the river valley there are also remains of a trading center from this period. Similar excavations have been conducted in the Pite river valley. The many artifacts and structural remains encountered reveal not only the nature of these settlements, but also shed light upon the origin and development of small-scale industries, and about the rich diffusion of the culture.

Paleoecological Research Methods and Results with Examples from the Northern Region of the Gulf of Bothnia. (Ogräs i odlingshistoriens tjänst)

This section is published separately (*Bothnica 2*, Luleå 1983). It includes a detailed discussion of varying paleoecological methods and of the results of the application of these methods to the research area. Continuous reference is made to the problems that arise when attempts are made to integrate such results into reconstructions of settlement histories. Such an effort in this study is facilitated by the ecological approach of its settlement-historical problem orientations. At the same time, the section illustrates interdisciplinary science at the "grass roots" level in its account of an historian's attempt to overcome the boundaries to knowledge of, in this case, paleoecological research, and to therein broaden the limits to knowledge set by his own subject.

Pollen evidence shows that the development of a cultural landscape in the Tornio valley has its roots in the remote past, and that a farming economy based on cereal and livestock production evolved long before written source materials provide any documentation of permanent settlements. From the beginning of the eleventh century, the Tornio valley was continuously populated by people who cleared their own fields, sowed their own cereal crops, and were occupied with livestock production.

The results of palynological work carried out on sites along the northern coast of the province of Österbotten fit well into this new pattern. The same holds true for results from another research project entitled "Early Norrland," which incorporates pollen analyses on localities at the extreme southern edge of the study area, i.e., in the Umeå region.

Here too, there is evidence of a very early appearance of cereal pollen. An agrarian revolution appears to have occurred during the Viking Period, one which in its initial magnitude and subsequent duration opened this cultural landscape to human activity.

In other words, what these studies reveal in terms of cultural landscape development stands in direct opposition to the interpretation advanced by previous research on settlement history.

"There are No Longer any Old Shorelines ..." (»Gamla stränder finns ej mer ...»), pp. 105—133

Here, the study goes beyond the stated time span. Developments are analysed from a technological perspective, and a workable, analytical framework is suggested in which the complex interrelationship of Nature and the Human Being might fruitfully be examined. It is proposed that greater settlement-historical knowledge could be achieved through this model. Through its elaboration in this section, the remaining results of this research are also accounted for, and special emphasis is given to the ecological perspective utilized in the *Bothnica 2* volume.

Summary (Sammanfattning), pp. 135—153

In this final section, the separate research results are integrated into a wider research context. At the same time, the conclusions are highlighted of a complementary discussion that primarily concerns the written source materials. From both these analyses, a foundation is laid for a reconstruction of the earliest emergence of settlements. The consequences of the reconstruction are then discussed from the viewpoint of an expanded, spatial perspective. Against this background of completed analyses and the discussions of, among other things, interdisciplinary problems, light is shed upon researchable problems which might serve as valuable starting points for continued study of the above-mentioned issues.

Studies using different types of material and incorporating different methodological approaches yield an unequivocal result: permanent settlement in the Tornio valley arose well in advance of the date assumed by prior research, and the colonization process evolved slowly but steadily, in a series of stages.

Much remains to be explored before the minute details of this new settlement pattern can emerge in sharp focus. At the same time, however, substantial light has been shed on the basic outlines, thanks to the type of international and interdisciplinary research described in this dissertation. While this research has primarily benefited our knowledge of the early settlement history of the Tornio valley, it has also opened new perspectives on settlement history throughout the northern areas of the Gulf of Bothnia. Changes in the temporal scheme of the evolution of settlements in the upper north of Sweden has far-ranging implications for our understanding of the emergence of cultural settlements in the entire Nordic region. The earlier general division of Scandinavia into a southwesterly zone of regression and a northeasterly zone of expansion can no longer be considered applicable. Results of other newly completed studies carried out within *The Scandinavian Research Project on Deserted Farms and Villages* also point to the validity of this more detailed view of the Middle Age agrarian developments of the Nordic countries.

The interdisciplinary approach of this study, together with its purposively-selected analytical perspectives (e.g., ecological and technological) have generated a significant increase in our knowledge of the settlement history of this area. It is suggested that future research on this area is carried out on the basis of intensive interdisciplinary cooperation. In addition, a longer time span could yield greater possibilities of linking such analysis to explanations of a more powerful and overarching nature than is possible through analysis of written source materials alone.

Källor och litteratur

Handskrifter

Kammararkivet (KA), SRA, Stockholm
Landskapshandlingar: Västerbotten 1539—1600
Sandbergska samlingen FF: 2, fol. 1735—1744

Kungliga biblioteket (KB), Stockholm
Antikvitetskollegii samling Fa 12: »Sumlen» av J. Th. Bureus

Vitterhetsakademiens Antikvarisk-Topografiska arkiv (ATA), Stockholm
Sockendossierer för landskapet Västerbotten
N. J. Ekdahls samlingar: (A 14) Ab; II b, c, h & z

Uppsala universitetsbibliotek (UUB)
Samlingsfascikeln S. 47: 1

Lantmäteriverkets arkiv (cit. LSA), Gävle
Geometriska jordeböckerna Ä 1—2

Landsarkivet i Härnösand (HLA)
Prosten A. Nordbergs excerptsamling
Nederluleå kyrkoarkiv

Norrbottens museum (Nbm)
Riksantikvarieämbetets fornminnesinventering för Norrbottens län
Bildarkivet

Dialekt- och ortnamnsarkivet i Lund (DAL)
Mikrofilmsamlingen

Historiska institutionen vid Lunds universitet, Mikrofilmarkivet
Mikrofilm- och regestsamlingarna

Urkundspublikationer

Bidrag till Finlands historia. Red. R. Hausen. Helsingfors 1881.
Diplomatarium Suecanum (DS). Red. J. G. Liljegren m.fl. Stockholm 1829—1959
Finlands medeltidsurkunder (FMU). Red. R. Hausen. Helsingfors 1910—1928.

Handlingar rörande Skandinaviens historia (HSH). Stockholm 1816—1865.

Jordha Boocken wthaff Westrabotnen pro anno 1543. Red. J. Nordlander (Norrländska samlingar, 6). Uppsala 1905.

Konung Gustaf den förstes registratur (GVR). Handlingar rörande Sveriges historia, första serien. Red. V. Granlund m.fl. Stockholm 1861—1916.

Nya källor till Finlands medeltidshistoria. Red. E. Grönblad. Köpenhamn 1857.

Registrum ecclesiae Aboensis (REA)/Åbo domkyrkas svartbok. Red. R. Hausen. Helsingfors 1890.

Stockholms stads tänkeböcker 1474—1591. Red. E. Hildebrand m.fl. Stockholm 1917—1948.

Svenska landskapslagar. Tredje serien: Södermannalagen och Hälsingelagen. Tolkade och förklarade för nutidens svenskar av Å. Holmbäck & E. Wessén. Uppsala 1940.

Svenska riks-archivets pergamentsbref, från och med 1351 (RAP). Förtecknade med angifvande af innehållet. Red. N. A. Kullberg. Stockholm 1866—1872.

Övriga arbeten

Abel, W., *Die Wüstungen des ausgehenden Mittelalters* (1943). 2. bearb. och utv. uppl., Gustav Fischer Verlag, Stuttgart *1955*.

— *Agrarkrisen und Agrarkonjunktur. Eine Geschichte der Land- und Ernährungswirtschaft Mitteleuropas seit dem hohen Mittelalter* (1935). 2. bearb. och utv. uppl., Verlag Paul Parey, Hamburg & Berlin *1966*.

— Wüstungen in historischer Sicht. *Wüstungen in Deutschland*, red. W. Abel (Zeitschrift für Agrargeschichte und Agrarsoziologie: Sonderheft 2). DLG-Verlag, Frankfurt am Main *1967*.

Ahnlund, N., Vad omfattade 1413 års skattebok? *HT 1921*.

— *Oljoberget och Ladugårdsgärde. Svensk sägen och hävd.* Stockholm *1924*.

— Bebyggelsens utbredning i Norrland under äldre tid. *Gammal Hälsingekultur 1931.*

— Landskap och län i Norrland. En historisk-administrativ översikt. *Ymer 1942.*

— *Jämtlands och Härjedalens historia. Första delen intill år 1537.* Stockholm *1948.*

— Bottniska problem. *Svenska Dagbladet 2/8 1926.*

Ailio, J., *Die steinzeitlichen Wohnplatsfunde in Finland, 1. Übersicht der Funde.* Helsingfors *1909*.

Almquist, J. A., *Den civila lokalförvaltningen i Sverige 1523—1630 med särskild hänsyn till den kamerala indelningen,* 2 (MRA Ny följd, 2: 6). Stockholm *1919—1922.*

Andersson, G., *Hasseln i Sverige fordom och nu* (SGU, serie Ca, 3). Stockholm *1902.*

Andersson, H., Sverige. En forskningsöversikt. *Urbaniseringsprosessen i Norden, 1: Middelaldersteder. Det XVII. nordiske historikermøte, Trondheim 1977* (red. G. Authén Blom). Bergen, Oslo & Tromsö *1977.*

Andrae, C. G., art. Kolonisation. *KLNM, 8.* Malmö *1963.*

Anthoni, E., Birkarleproblemet i ny belysning. *FHT 1964.*

Audén, B., *Bottniska personnamn. Frekvenser i skattelängder från mitten av 1500-talet* (Kungl. Skytteanska samfundets handlingar, 22). Umeå *1980.*

Battarbee, R. W., Diatoms in lake sediments. *Palaeohydrological Changes* [se nedan]. (1979)

Baudou, E., Forskningsprojekt Norrlands tidiga bebyggelse II. Arbetets uppläggning. *Fornvännen 1968.*

— Luleälvs-projektet: Samhälle och resursutnyttjande i Lule älvdal under 2000 år. *Människan, kulturlandskapet och framtiden* [se nedan]. (1980)

Bartholin, Th. S., Dendrokronologi. En ny naturvidenskab i arkaeologiens tjaenste. Metode og resultat. *Ale 1975.*

— Alvastra pile dwelling: Tree studies. The dating and the landscape. Preliminary results. *Fornvännen 1978.*

— Träden växer med tiden. *Forskning och Framsteg 1980: 7.*

Bebyggelsen i Finland på 1560-talet/Suomen asutus 1560-luvulla. Atlas (Finska historiska samfundet/Suomen historiallinen seura. Käsikirjoja, 7). Utg. av E. Jutikkala, M. Jokipii, A. Luukko, E. Orrman & A. Soininen. Helsinki/Helsingfors *1973.*

Beresford, M., *The Lost Villages of England* (1954). 6. uppl., Lutterworth press, London *1969.*

Beresford, M. & Hurst, J. G. (red.), *Deserted Medieval Villages* (1971). 2. uppl., Lutterworth press, Guildford & London, *1973.*

Beretning om Det nordiske historikermøte i Bergen 10—13 august 1964, utgitt av arbeidsutvalget. Bergen *1966.*

Bergling, R., *Kyrkstaden i övre Norrland. Kyrkliga, merkantila och judiciella funktioner under 1600- och 1700-talen* (Skytteanska samfundets handlingar, 3). Umeå *1964.*

Berglund, B. E., *Late-Quaternary Vegetation in Eastern Blekinge, Southeastern Sweden. A Pollenanalytical Study, 1—2* (Opera Botanica, 1—2). Lund *1966.*

— Vegetationsutvecklingen i Norden efter istiden. *Sveriges Natur 1968.*

— Vegetation and human influence in South Scandinavia during prehistoric time. *Oikos,* suppl. 12., *1969.*

— Föredrag vid DNÖ:s symposium i Joensuu, Finland 2—4 september *1971* (stencil, DNÖ:s arkiv, manuskriptavd., Kongl. Bibl., Köpenhamn).

— Pollen analysis. *Palaeohydrological Changes* [se nedan]. (1979)

— Paleoekologisk metodik och paleoekologiska vittnesbörd om det förhistoriska odlingslandskapets framväxt i Sydsverige. *Människan, kulturlandskapet och framtiden* [se nedan]. (1980)

Berglund, B. E. & Gustavsson, R., Odlingslandskapets framväxt i Blekinge. *Blekinges Natur 1980.*

Bergman, E. W., Strödda bidrag till Västerbottens äldre kulturhistoria. *HT 1890.*

Beskow, H., *Bidrag till studiet av Övre Norrlands kyrkor* (KVHAAH, 79: 1). Stockholm *1952.*

— 1400-tal i Öjebyn. *Norrbotten 1964.*

— *Nederluleå kyrka och Luleå gamla stad* (Svenska Fornminnesplatser, 35). Stockholm *1968.*

Biörnstad, M., Forskningsprojekt Norrlands tidiga bebyggelse, I. Redogörelse för projektets omfattning och syfte. *Fornvännen 1968.*

Bjurling, O., *Das Steuerbuch König Eriks XIII* (Skrifter utgivna av ekonomisk-historiska föreningen i Lund, 4). Lund *1962.*

Bjørkvik, H. & Dybdahl, A., Øydegardar og øydegardsgransking i Noreg. *Nasjonale forskningsoversikter* [se nedan]. (1979)

Boserup, E., *Jordbruksutveckling och befolkningstillväxt* (1965). Sv. övers., Lund *1977.*

Broadbent, N., *Coastal Resources and Settlement Stability. A Critical Study of a Mesolithic Site Complex in Northern Sweden. With a Contribution by Roger Engelmark: The Paleoenvironment* (AUN, 3). Uppsala *1979.*

Brunius, J., *Bondebygd i förändring. Bebyggelse och befolkning i västra Närke ca 1300—1600* (BHL, 45 & DNÖ:s publ.-serie, 9). Lund *1980.*

Brunnberg, L. & Kristiansson, J., Kalendern från sjöbotten. *Forskning och Framsteg 1980: 7.*

Bråthen, A., Tidsbestämning i västra Sverige med hjälp av årsringar på ek. *Fornvännen 1977.*

Bygdén, A., *Källorna till Piteå sockens äldsta historia.* Stockholm *1921.*

Bygdén, L., *Hernösands stifts herdaminne, 1—4.* Stockholm & Uppsala *1923—1928.*

Bylund, E., *Koloniseringen av Pite lappmark t.o.m. år 1867.* (Geographica, 30). Uppsala *1956.*

Bååth, K., *Öde sedan stora döden var . . . . Bebyggelse och befolkning i Norra Vedbo under senmedeltid och 1500-tal, 1—2* (BHL, 51 & DNÖ:s publ.-serie, 12a—b). Lund *1983.*

Campbell, Å., *Från vildmark till bygd. En etnologisk undersökning av nybyggarkulturen i Lappland före industrialismens genombrott* (1948). Facsimileuppl. (Norrländska skrifter, 10) Umeå *1982.*

Carlsson, G., 1413 års skattebok. En studie rörande dess tillkomst och karaktär. *HT 1953.*

Christensen, V. & Kousgård Sørensen, J., *Stednavneforskning 1. Afgrensning. Terminologi. Metode. Datering.* København *1972.*

Christiansson, H., Nordarkeologi gräver. *Västerbotten 1970.*

— Kalixbygdens förhistoria. *Kalix, 3. Land och fynd* (red. H. Hvarfner). Luleå *1971.*

Collinder, B., Luleå. *Quatrièmè congrés internationale de sciences onomastiques. II: Actes et Memoires.* Uppsala *1952.*

— *Ordbok till Sveriges lapska ortnamn.* Uppsala *1964.*

Dahlgren, C.-E., Jakten och fisket i jord- och skogsbrukets rationalisering. *Hunting and Fishing* [se nedan] (1965). Sv. övers. i *Norrbotten 1969.*

Dahlgren, S., rec. av B. Steckzén, Birkarlar och lappar. *HT 1965.*

Dahlstedt, K.-H., Istral, Sjul och Kerstorp. Ett kapitel om gamla norrländska personnamn. *Norrländsk tidskrift 1963: 2.*

— Nästansjö. *NoB 1967.*

— Ortnamn, språkkontakt och fornhistoria. *Hunting and Fishing* [se nedan] (1965). Sv. övers. i *Norrbotten 1970.*

— Some observations on scandinavian-lappish place-names in Swedish Lapland. *Lapps and Norsemen in Olden Times* (Instituttet for sammenlignende kulturforskning, A: 26). Oslo *1967.*

Desertion and Land Colonization in the Nordic Countries c. 1300—1600. Comparative Report from the Scandinavian Research Project on Deserted Farms and Villages by S. Gissel, E. Jutikkala, E. Österberg, J. Sandnes & B. Teitsson (DNÖ:s publ.-serie, 11). Stockholm *1981.*

Dickerson, R. & Geis, I., *Chemistry, Matter and the Universe: an Integrated Approach to General Chemistry.* Menlo Park, Calif., *1976.*

Dovring, F., *De stående skatterna på jord 1400—1600* (Skrifter utgivna av Kungl. Humanistiska Vetenskapssamfundet i Lund, 49). Lund *1951.*

— Ur storsocknarnas historia. *Luleå stift i ord och bild* (red. S. Perman m.fl.). Stockholm *1953.*

Duby, G., Medieval agriculture 900—1500. *The Fontana Economic History of Europe, 1. The Middle Ages* (1972; red. C. M. Cipolla). 6. uppl., Collins/Fontana Books, Glasgow *1981.*

Dybdahl, A. & Björkvik, H., se Björkvik (1972).

Early Norrland (KVHAA). Skrifter från Forskningsprojektet Norrlands tidiga bebyggelse (NTB)/The Early Norrland Research Project. Se enskilda författare.

Ecological Problems of the Circumpolar Area. Papers from the International Symposium at Luleå, Sweden, June 28—30, 1971 (red. E. Bylund). Luleå 1974.

Ekman, S., Norrlands jakt och fiske (Norrländskt handbibliotek, 4, 1910). Facsimile-uppl. (Norrländska skrifter, 11) Umeå 1983.

Enckell, P. E., Människans influens på de naturliga ekosystemen. Uppsalasymposiet [se nedan] (1974).

Energi og udvikling i økosystemer (Noah:s emneserie, 2; red. J. Ansbaek m.fl.; 1972). 2. utg. København 1980.

Enequist, G., Övre Norrlands storbyar i äldre tid. Ymer 1935.

— Nedre Luledalens byar. En kulturgeografisk studie (Geographica, 4). Uppsala 1937.

Engelmark, R., The Paleoenvironment. Se Broadbent (1979).

— The vegetational history of the Umeå area during the past 4000 years. Early Norrland, 9. Stockholm 1976.

— The comparative vegetational history of inland and coastal sites in Medelpad, N. Sweden during the iron age. Early Norrland, 11. Stockholm 1978.

Erdtman, G., Pollenspektra från svenska växtsamhällen jämte pollenanalytiska markstudier i södra Lappland. Geologiska Föreningens i Stockholm förhandlingar bd 65, h 1, 1943.

Erixon, S., Svenska byar utan systematisk reglering. En jämförande historisk undersökning, 1—2. Stockholm 1960.

— Individuella tids- och funktionsstudier i Nordskandinavien. Hunting and Fishing [se nedan] (1965). Sv. övers. i Norrbotten 1970.

Faegri, K., Pollenanalysen. En oversikt. Viking. Tidsskrift for norrøn arkeologi, 9. 1945.

— Kilder til bosetningshistorien. Heimen 14, 1967.

Faegri, K. & Iversen, J., Textbook of Pollen Analysis (1950). 2. rev. uppl. Stockholm & Köpenhamn 1966.

Fahlgren, K., Bygden organiseras. Skellefte sockens historia, 1: 1 (red. K. Fahlgren). Uppsala 1953.

— I katolsk tid. Bygdeå sockens historia (red. K. Fahlgren). Umeå 1963.

— (red.), Umeå sockens historia. Umeå 1970.

Fjaestad, B., Kol 14-metoden uppdaterad: Historien måste skrivas om. Forskning och Framsteg 1980: 7.

Fjellström, Ph., Luleälvsprojektet: den etnologiska delen. Människan, kulturlandskapet och framtiden [se nedan] (1980).

Forssell, H., Norrland 1571—1870. Ett försök till statistisk historik. Svensk tidskrift 1872: 2.

Friberg, N., art. Hälsingland. KLNM, 7. Malmö 1962.

Fries, M., Vegetationutveckling och odlingshistoria i Varnhemstrakten. En pollenanalytisk undersökning i Västergötland (Acta Phytogeographica Suecica, 39). Uppsala 1958.

— Pollenanalyser från Åland. Åländsk odling 1963.

— Pollenanalytiskt bidrag till vegetations- och odlingshistoria på Åland. Finskt Museum 68. 1963.

— Vad myren berättar. Sveriges Natur 1963.

Fries, S., Ortnamn och bebyggelsehistoria i norra Sverige. KVHAAÅ 1983.

Fritz, B., Hus, land och län. Förvaltningen i Sverige 1250—1434, 1—2 (Acta Universitatis Stockholmiensis/Stockholm Studies in History, 16, 18). Stockholm 1972—1973.

Fromm, E., Geochronologisch datierte Pollendiagramme und Diatoméeanalysen aus Ångermanland. Geologiska Föreningens i Stockholm Förhandlingar, bd 60. 1938.

— Beskrivning till jordartskarta över Norrbottens län nedanför lappmarksgränsen (SGU serie Ca, 39). Stockholm 1965.

Gaunt, D., Historisk demografi eller demografisk historia? En översikt och ett debattinlägg om ett tvärvetenskapligt dilemma. *HT 1973.*

— Familj, hushåll och arbetsintensitet. En tolkning av demografiska variationer i 1600- och 1700-talens Sverige. *Scandia 1976.*

— Människans villkor: replik till Sune Åkerman om ett ekologiskt synsätt. *Scandia 1979.*

Gissel, S., Forskningsrapport for Danmark. *Nasjonale forskningoversikter* [se nedan] (1972).

— Agrarian decline in Scandinavia. *Scandinavian Journal of History 1976.*

Glossarium till medeltidslatinet i Sverige, vol. 1: 1—2: 1 (KVHAA). Utg. av U. Westerbergh (†) & E. Odelman. Stockholm *1968—1982.*

Granberg, A., *Tvärvetenskap som ett definitions- och tolkningsproblem* (FOG:s rapportserie, 4. Linköpings universitet). Linköping *1976.*

Granlund, J., Laxfiske i Tornedalen. *Hunting and Fishing* [se nedan] (1965). Sv. övers. i *Norrbotten 1969.*

Gustavsson, R. & Berglund, B. E., se Berglund (1980).

Gårdlösa. An Iron Age Community in its Natural and Social Setting (Acta regiae societatis humaniorum litterarum lundensis, 75). Red. B. Stjernquist. 1. Interdisciplinary studies by T. S. Bartholin, B. Berglund, N. G. Gejvall, S. Helmfrid, H. Hjelmqvist, S. Håkansson, N. Malmer, J. Mikaelsson, H.-Å. Nordström, I. U. Olsson, P. Sandgren, S. Skansjö & B. Stjernquist. Lund *1981.*

Göthe, G., *Om Umeå lappmarks svenska kolonisation från mitten av 1500-talet till omkr. 1750.* Uppsala *1929.*

Hafsten, U., Föredrag vid Det nordiska ödegårdsprojektets symposium i Joensuu 2—4 september *1971* (stencil, DNÖ:s arkiv, manuskriptavd., Kongl. Bibl., Köpenhamn).

Hafsten, U. & Solem, Th., Age, origin and palaeo-ecological evidence of blanket bogs in Nord-Trøndelag, Norway. *Boreas vol. 5, nr 3. 1976.*

Hafström, G., art. Hälsingelagen. *KLNM, 7.* Malmö *1962.*

— Från kultsocken till storkommun. *Från bygd och vildmark 1964.*

— art. Konungsåren. *KLNM, 9.* Malmö *1964.*

Hammarström, I., *Finansförvaltning och varuhandel 1504—1540. Studier i de yngre Sturarnas och Gustav Vasas statshushållning.* Uppsala *1956.*

Hammarström, M., *Glossarium till Finlands och Sveriges latinska medeltidsurkunder jämte språklig inledning* (Käsikirjoja, julkaissut Suomen historiallinen seura/Handböcker, utgivna av Finska historiska samfundet, 1). Helsingfors *1925.*

Hannerberg, D., *Svenskt agrarsamhälle under 1200 år. Gård och åker. Skörd och boskap.* Göteborg, Lund & Stockholm *1971.*

Hederyd, O., *Överkalix, 1. Från stenhacka till järntacka.* Luleå *1982.*

Helmfrid, S., *Östergötland „Västanstång". Studien über die ältere Agrarlandschaft und ihre Genese* (Meddelanden från Geografiska institutionen vid Stockholms universitet, 140). *Geografiska annaler, 44., 1962: 1—2.*

— *Europeiska kulturlandskap. En forskningsöversikt* (stencil, Kulturgeografiska institutionen vid Stockholms universitet, 1966).

Hellström, P., *Norrlands jordbruk* (Norrländskt handbibliotek, 6). Stockholm & Uppsala *1917.*

Hicks, S., Pollen analysis and archaeology in Kuusamo, north-east Finland, an area of marginal human interference. *Institute of British Geographers, Transactions. New series, vol. 1, nr 3. 1976.*

Hjelmroos, M., Kulttuurin vaikutuksesta Tornionjokilaakson kasvillisuuteen. *Acta Societatis Historicae Ouluensis. Scripta Historica, 4.* Oulu/Uleåborg *1974.*

— *Tornionjokilaakson erityisesti Oravaisensaaren kasvillisuuden kehitys kulttuurin vaiku-tuksen alaisena* (stencilerad pro gradu-avh., Uleåborgs universitet, 1976).

— *Den äldsta bosättningen i Tornedalen. En paleoekologisk undersökning* (Department of Quaternary Geology, University of Lund, Report 16) Lund *1978.*

Hjelmroos, M. & Reynaud, Ch., se Reynaud (1976).

Hjelmroos, M. & Reynaud, Ch., se Reynaud (1980).

Holm, G., Bottniska namnstudier. *NoB 1949.*

— Ortnamnen i Lövånger. *Lövånger.* (del 1. red. av C. Holm; del 2. red. av G. Holm). Umeå *1949.*

— Tre bottniska ortnamn. *NoB 1955.*

— Namntypen Umeå och höjdnamnet Månen. Ett par norrländska namnstudier. *OSUÅ 1958.*

— Om personnamn i nordnorrländska ortnamn. *Personnamnsstudier 1964 tillägnade minnet av Ivar Modéer (1904—1960)* (Anthroponymica Suecana, 6). Stockholm *1965.*

— Några äldre ortnamn. *Umeå sockens historia* (red. K. Fahlgren). Umeå *1970.*

Holmsen, A., Det nordiske ødegårdsprosjekt. *HT 1971.*

Hoppe, G., *Vägarna inom Norrbottens län. Studier över den trafikgeografiska utveck-lingen från 1500-talet till våra dagar* (Geographica, 16). Uppsala *1945.*

The Hoset project. An interdisciplinary study of a marginal settlement. 1977. /By/ H. Salvesen, J. Sandnes, O. Farbregd & A. M. Halvorsen. *Norwegian Archaeological Review, vol. 10, 1977.*

Hunting and Fishing. Nordic Symposium on Life in a Traditional Hunting and Fishing Milieu in Prehistoric Times and up to the Present Day (Red. H. Hvarfner). Luleå *1965.*

Hurst, J. G. & Beresford, M., se Beresford (1971).

Huss, E. G., *Undersökning öfver folkmängd, åkerbruk och boskapsskötsel i landskapet Västerbotten åren 1540—1571.* Uppsala *1902.*

Huttunen, P., Early land use, especially the slash-and-burn cultivation in the commune of Lammi, southern Finland, interpreted mainly using pollen and charcoal analyses. *Acta Botanica Fennica, 113. 1980.*

Huttunen, P. & Tolonen, M., Pollen-analytical studies of prehistoric agriculture in Northern Ångermanland. *Early Norrland, 1.* Uppsala *1972.*

Huttunen, P. & Tolonen, M., se Tolonen, M. (1977).

Huttunen, P. m.fl., se Saarnisto (1977).

Hyvärinen, H., Absolute and relative pollen diagrams from the northernmost Fenno-scandia. *Fennia, 142. 1975.*

Hägerstrand, T., Ecology under one perspective. *Ecological Problems* [se ovan] (1974).

Högbom, A. G., *Norrland. Naturbeskrifning* (Norrländskt handbibliotek, 1). Stockholm & Uppsala *1906.*

Inger, G., *Svensk rättshistoria.* Lund *1980.*

Isaksson, O., *Byställma och bystadga. Organisationsformer i övre Norrlands kustbyar* (Skytteanska samfundets handlingar, 5). Umeå *1967.*

— Fiske, jakt och bysamhällen i övre Norrlands kusttrakter. *Hunting and Fishing* [se ovan] (1965). Sv. övers. i *Norrbotten 1971.*

Iversen, J. & Faegri, K., se Faegri (1966).

Jaakola, J., *Pirkkalaisliikkeen synty* (Turun Suomalaisen Yliopiston Julkaisurja, sarja B:2, 1). Turku/Åbo *1924.*

Jansson, A.-M. & Wulff, F., *Ekologi — En vetenskap på frammarsch* (Naturresurs- och miljökommittéen: Bakgrundsrapport, 2). Stockholm *1980.*

Jirlow, R. & Wahlberg, E., Jordbruket i Tornedalen genom seklen. *Skytteanska samfundets handlingar, 1.* Umeå *1961.*

Jonsson, I., *Jordskatt och kameral organisation i Norrland under äldre tid* (Kungl. Skytteanska samfundets handlingar, 9). Umeå *1971.*

— *Laxfiske och vattenmiljö. Reflexioner kring en avhandling om vattenbyggnader i Ljungan* (stencil, Geografiska institutionen vid Umeå universitet, Rapport A: 13, 1978).

Julku, K., Norra Finlands befolkningsförhållanden under medeltiden. *Beretning. Foredrag och forhandlinger ved det nordiske historikermøde i København 1971, 9—12 august.* København *1971.*

— *Muutamia Tornion seudun varhaishistorian ongelma* (Oulun yliopisto, Historian laitos, Eripainossarja, 9). Oulu/Uleåborg *1972.*

— *Keskiaikainen tuomio Pellon rajoista* (Oulun yliopisto, Historian laitos, Eripainossarja, 20). Oulu/Uleåborg *1975.*

Julku, K. & Sundström, H., Tornedalens bosättningshistoria i ny belysning. Huvudresultat från det tvärvetenskapliga Tornedalsprojektet. *Folk og ressurser i nord. Foredrag fra Symposium om midt- och nordskandinavisk kultur ved Universitetet i Trondheim, Norges laererhøgskole 21—23 juni 1982* (red. J. Sandnes, A. Kjelland & I. Østerlie). Trondheim *1983.*

Jungen, B., *Om tvärvetenskap. Tillvägagångssätt och intellektuella svårigheter* (Humanekologiska skrifter, 1). Göteborg *1983.*

Jutikkala, E., *Bonden i Finland genom tiderna* (1942). Sv. övers., Stockholm *1963.*

— Ödegårdsproblemet i den lokalhistoriska forskningen i Finland. *Nasjonale forskningsoversikter* [se nedan] (1972).

Kerkkonen, G., Obygd — Erämark — Nybygd. Kolonisatorisk bondeföretagsamhet i Norden. *Historiallinen Arkisto 1965.*

Kivikoski, E., *Finlands förhistoria* (1961). Sv. övers. Stockholm *1964.*

Klemming, G. (red.), *Nyare bidrag till kännedom om de svenska landsmålen och svenskt folklif.* Bih. 1: 2. Stockholm *1886.*

Koivunen, P., Oravaisensaari och Kainuunkylä — medeltida boplatser i Tornedalen. *FHT 1977.*

— Problems of medieval settlement in Lapland on the basis of excavations in the Tornio river valley. *Fenno-Ugri et Slavi 1978.* Papers presented by the participants in the Soviet-Finnish symposium "The Cultural Relations between the Peoples and Countries of the Baltic Area during the Iron Age and the Early Middle Ages" in Helsinki May 20—23, 1978 (stencil, Arkeologiska institutionen vid Helsingfors universitet, 1978).

Koivunen, P., m.fl., se Sundström (1978).

Kousgård Sørensen, J. & Christensen, V., se Christensen (1972).

Kälvemark, A.-S., Folk och fä — ett demografiskt räknesätt. *HT 1973.*

Königsson, L.-K., *Traces of neolithic human influence upon the landscape development at the Bjurselet Settlement, Västerbotten, Northern Sweden* (Skytteanska samfundets handlingar, 7) Umeå *1970.*

— Annan flinta. *Tor 1973.*

— Kvartärgeologi och kulturlandskapsforskning. *Uppsalasymposiet* [se nedan] (1974).

Larsson, L.-O., *Det medeltida Värend. Studier i det småländska gränslandets historia fram till 1500-talets mitt,* (BHL, 12). Lund *1964.*

— *Kolonisation och befolkningsutveckling i det svenska agrarsamhället 1500—1640* (BHL, 27). Lund *1972.*

— Översikt över det svenska forskningsläget inom projektets arbetsfält. *Nasjonale forskningsoversikter* [se nedan] (1972).

Lid, J., *Norsk og svensk flora*. Med teikningar av Dagny Tande Lid (1963). 2. uppl. Oslo *1974*.

Ljungfors, Ä., *Bidrag till svensk diplomatik före 1350*. Lund *1955*.

Lunden, K., Merknader om empiri og modellar i historiegranskinga. *NHT 1976*.

— Kommentar til Porsmose. *Teknologi och samhällsförändring* [se nedan] (1980).

Lunden, K. m.fl., se Österberg, *NHT 1976*.

Lundholm, K., *Från stentid till järntid. Om Norrbottens förhistoria*. Luleå *1973*.

— Kyrkbyn och Stor-Rebben — om medeltida kust- och skärgårdsbosättning i Pitebygden. *Rapport från maritimhistoriskt symposium i Luleå 1976*. Utg. av Statens sjöhistoriska museum och Rådet för maritim forskning (red. C. O. Cederlund & Ulla Wessling). Luleå *1976*.

— Kyrkbyn. Pitebygdens äldsta marknadsplats. *Studier i norrländsk forntid. Festskrift till Ernst Westerlund 9/11 1975* (Acta Bothniensia Occidentalis 1.) (red. Anders Huggert). Umeå *1978*.

— Från forntid till medeltid. *Bodens kommun från forntid till nutid* (red. R. Bergmark). Boden *1980*.

Luuko, A., *Pohjois-Pohjanmaan ja Lapin historia, 2. Pohjois-Pohjanmaan ja Lapin keskiaika sekä 1500-luku*. Oulu/Uleåborg *1954*.

— art. Birkarl; Birkarlahandel; Birkarlaskatt. *KLNM, 1*. Malmö *1956*.

Löfgren, O., Family and household among scandinavian peasants. An exploratory essay. *Ethnologia Scandinavia 1974*.

— Arbeitsteilung und Geschlechterrollen in Schweden. *Ethnologia Scandinavia 1975*.

— Peasant ecotypes. Problems in the comparative study of ecological adaption. *Ethnologia Scandinavia 1976*.

— Potatisfolket levde av nästan ingenting. *Forskning och Framsteg 1977: 5—6*.

Löfstrand, L., Mälardalsprojektet. *Fornvännen 1977*.

— Årsdatering av trä (dendrokronologi). *Senmedeltid i Västergötland. Västergötlands fornminnesförenings tidskrift 1979—1980*.

Lönnroth, E., *Statsmakt och statsfinans i det medeltida Sverige. Studier över skatteväsen och länsförvaltning* (Göteborgs högskolas årsskrift, 46. 1940: 3). Göteborg *1940*.

Malmberg, T., *Human Territoriality. Survey of Behavioural Territories in Man with Preliminary Analysis and Discussion of Meaning* (New Babylon, Studies in the Social Sciences, 33.). Mouton Publishers, The Hague, New York & Paris, *1980*.

Malmer, M. P., Forskningsprojektet Alvastra pålbyggnad. *Fornvännen 1978*.

Moberg, C.-A., *Studier i bottnisk stenålder, 1—4* (KVHAAH, Antikvariska serien, 3). Stockholm *1955*.

Moore, P. D. & Webb, J. A., *An Illustrated Guide to Pollen Analysis*. Hodder & Stoughton. London, Sydney, Auckland & Toronto *1978*.

Munaut, A. V., Dendrochronology applied to palaeoecological and palaeohydrological research. *Palaeohydrological Changes* [se nedan] (1979).

Myrdal, G., *Objektivitetsproblemet i samhällsforskningen*. Stockholm *1968*.

Människan, kulturlandskapet och framtiden. Föredrag och diskussioner vid Vitterhetsakademiens konferens 12—14 februari 1979 (KVHAA: Konferenser, 4). Stockholm *1980*.

Nasjonale forskningsoversikter. Det nordiske ødegårdsprosjekt. Publikasjon nr 1. København *1972*.

Nihlgård, B. & Rundgren, S., *Naturens dynamik*. Stockholm *1978*.

Nissilä, V., *Asutushistoriallinen nimistöntutkimus. Paikallishistoria tänään. Toim. Antero Penttilä.* Helsinki/Helsingfors *1968.*

Norborg, L.-A., *Storföretaget Vadstena kloster. Studier i senmedeltida godspolitik och ekonomiförvaltning* (BHL, 7). Lund *1958.*

— Sverige/Ødegårdar og ny bosetning i de nordiske land i senmiddelalderen. *Problemer* [se nedan] (1964).

Nordberg, A., Med ärkebiskopar på visitationsfärd. *Luleå stift i ord och bild* (red. S. Perman m.fl.). Stockholm *1953.*

— *En gammal norrbottensbygd, 1. Anteckningar till Luleå sockens historia* (1928). 2. uppl., Luleå *1965.*

Nord-Skandinaviens historia i tvärvetenskaplig belysning. Förhandlingar vid symposium anordnat av Humanistiska fakulteten vid Umeå universitet den 7—9 juni 1978 (red. E. Baudou & K.-H. Dahlstedt; Acta Universitatis Umensis/Umeå Studies in the Humanities, 24). Umeå *1980.*

Norrland. Natur, befolkning och näringar. Utg. av Geografiska förbundet i Stockholm och Industriens utredningsinstitut (red. M. Lundqvist m.fl.). Stockholm *1942.*

Odén, B., *Rikets uppbörd och utgift. Statsfinanser och finansförvaltning under senare 1500-talet* (BHL, 1). Lund *1955.*

— Human systems in the Baltic area. *Ambio vol. 9, 1980.*

Oja, A., art. Krok. *KLNM,* 9. Malmö *1964.*

— art. Rök. *KLNM,* 14. Malmö *1969.*

Olofsson, S. I., Övre Norrlands medeltid. *Övre Norrlands historia, del 1: Tiden till 1600* (red. G. Westin). Umeå *1962.*

Olsson, B. m.fl., se Skarin (1979).

Olsson, I., The C^{14} dating of samples for botanical studies of prehistoric agriculture in Northern Ångermanland. *Early Norrland, 1.* Stockholm *1972.*

— Kan man lita på C^{14}-dateringar återgivna i den arkeologiska litteraturen? *Fornvännen 1975.*

— Något om val av C^{14}-prov och val av presentationssätt av resultaten. *Fornvännen 1977.*

— A discussion of the C^{14} ages of samples from Medelpad, Sweden. *Early Norrland, 11.* Stockholm *1976.*

— Radiometric dating. *Palaeohydrological Changes* [se nedan] (1979).

Orrman, E., Om enheterna rök och krok i Finland under medeltiden. *FHT 1977.*

— Medeltida skatteenheter i södra Finlands svenskbygder. *FHT 1979.*

Palaeohydrological Changes in the Temperate Zone in the Last 15000 years. IGCP 158, Subproject B. Lake and Mire Environments. Project Guide, Vol. 2. Specific methods (red. B. E. Berglund). Lund *1979.*

Pellijeff, G., Ur Norrbottens äldsta mantalslängder. *Personnamnsstudier 1964 tillägnade minnet av Ivar Modéer (1904—1960)* (Anthroponymica Suecana, 6). Stockholm *1965.*

— Ortnamnslån. Några synpunkter. *NoB 1966.*

— Kalixbygdens ortnamn. *Kalix, 1. Namn och språk* (red. H. Hvarfner). Luleå *1967.*

— Kalix sockens äldsta skattelängder. *Kalix, 1. Namn och språk* (red. H. Hvarfner). Luleå *1967.*

— Bottnisk bebyggelse i belysning av ortnamnen. *OSUÅ 1973.*

— rec. av Vahtola, Tornionjoki ... [se nedan]. *Fenno-Ugrica Suecana 1981.*

— Ortnamnens vittnesbörd om finsk bosättning i Kalixbygden. *NoB 1982.*

Persson, A., *Bebyggelseutveckling och ekonomi i delar av Södermanland ca 1300—1600* (preliminär titel, pågående undersökning inom DNÖ, Lund).

Pirinen, K., art. Byamål/Finland. *KLNM, 2.* Malmö *1957.*

Porsmose, E., Bondesamfund og rigsdannelse — driftsmåder og samfundsorganisation i middelalderens Danmark. *Teknologi och samhällsförändring* [se nedan] (1980).

von Post, L., Skogsträdpollen i sydsvenska torvmosselagerföljder. *Forhandl. 16. skandinaviske naturforskermøte.* Kristiania *1916.*

Prentice, I. C., Modern pollen spectra from lake sediments in Finland and Finnmark, north Norway. *Boreas. Vol. 7 nr 3, 1978.*

Problemer i nordisk historieforskning. Rapporter til det nordiske historikermøte i Bergen 1964. Göteborg, København, Oslo & Stockholm *1964.*

Påsse, T. m.fl., se Skarin (1979).

Rausing, G., *Arkeologien och naturvetenskaperna* (1958). 2. uppl. (Från forntid och medeltid, 5). Lund *1971.*

Renberg, I., Palaeolimnological investigations in lake Prästsjön. *Early Norrland 9.* Stockholm *1976.*

— Palaeoecology and varve counts of the annually laminated sediment of lake Rudetjärn, northern Sweden. *Early Norrland 11.* Stockholm *1978.*

Renfrew, C., Ancient Europe is older than we thought. *National Geographic vol. 152 no 5 1977.*

Reynaud, C., Etude historique de la végetation durant le tardi-glaciaire et le postglaciaire en Peräpohjola (Laponie meridionale en Finlande) par la méthode sporo-pollinique. *Fennia 131, 1974.*

Reynaud, C. & Tobolski, K., Etude paleobotanique d'une basse terasse du fleuve Kemi (Tervola, Finlande) basée sur la palynologie et l'identification des restes macroscopiques. *Aquilo. Ser. Botanica Tom 13, 1974.*

Reynaud, C. & Hjelmroos, M., Vegetational history and evidence of settlement on Hailuoto, Finland, established by means of pollen analyses and radiocarbon dating. *Aquilo. Ser. Botanica Tom 14, 1976.*

Reynaud, C. & Hjelmroos, M., Pollen evidence and radiocarbon dating of human activity within the natural forest vegetation of the Pohjonmaa region (northern Finland). *Candollea 35, 1980.*

Ringbom, S., *Konsten i Finland: från medeltid till nutid.* Helsingfors *1978.*

Rudberg, S., *Ödemarkerna och den perifera bebyggelsen i inre Nordsverige. En diskussion av vissa orsakssamband bakom fördelningen bygd-obygd* (Geographica, 33.). Uppsala *1957.*

Rundgren, S. & Nihlgård, B., se Nihlgård (1978).

Ränk, G., Miljö, utveckling och historia, sett från den aktiska horisonten. *Hunting and Fishing* [se ovan] (1965). Sv. övers. i *Norrbotten 1969.*

Saarnisto, M., Studies of annually laminated lake sediments. *Palaeohydrological Changes* [se ovan] (1979).

Saarnisto, M., Huttunen, P. & Tolonen, K., Annual lamination of sediments in lake Lovojärvi, southern Finland, during the past 600 years. *Ann. Bot. Fennici 14, 1977.*

Sallerfors, S. E., *Gärds härad under dansk tid. Bebyggelse och befolkning* (opubl. lic.avh., Historiska institutionen vid Lunds universitet, 1974).

Saloheimo, V. m.fl., se Tolonen (1977).

Sandnes, J., Nyere naturvitenskapelige metoder som hjelpemidler i busetningshistorisk granskning. *Heimen, 15. 1971.*

— Teori, modeller og empiri i nyere norsk middelalderforskning. *NHT 1976.*

— Settlement developments in the late middle ages (approx. 1300—1540). *Desertion and Land Colonization in the Nordic countries c. 1300—1600* [se ovan] (1981).

Schück, A., Ur Sveriges medeltida befolkningshistoria. *Nordisk kultur, 2.* København, Oslo & Stockholm *1938.*

Segerström, U., Pollendepositionsanalys i varviga sediment—pollenanalysens nya dimension. *Skrifter från Luleälvsprojektet nr 1: Luleälvssymposiet 1—3 juni 1981.* Umeå *1981.*

Serning, I., *Övre Norrlands järnålder* (Skrifter utgivna av vetenskapliga biblioteket i Umeå, 4). Umeå *1960.*

Simonsen, P., Økologi, økonomi og samfunn i nord-skandinavisk forhistorie. *Nord-Skandinaviens historia i tvärvetenskaplig belysning* [se ovan] (1980).

Skansjö, S., *Söderslätt genom 600 år. Bebyggelse och odling under äldre historisk tid* (Skånsk senmedeltid och renässans, 11 & DNÖ:s publ.-serie, 13). Lund *1983.*

Skarin, O., *Gränsgårdar i centrum. Studier i västsvensk bebyggelsehistoria ca 1300— 1600,* 1—2 (DNÖ:s publ.-serie, 8a—b). Göteborg *1979.*

Skovgaard-Petersen, I., Kommentar til Porsmose. *Teknologi och samhällsförändring* [se nedan] (1980).

Smedberg, G., *Nordens första kyrkor. En kyrkorättslig studie* (Bibliotheca theologiae practicae, 32). Uppsala *1973.*

Soininen, A., Finland/Ødegårdar og ny bosetning i de nordiske land i senmiddalderen. *Problemer* [se ovan] (1964).

Solem, Th. & Hafsten, U., se Hafsten (1976).

Sporrong, U., *Jordbruk och landskapsbild.* Lund *1970.*

Steckzén, B., *Birkarlar och lappar. En studie i birkarleväsendets, lappbefolkningens och skinnhandelns historia* (KVHAAH, Historiska serien, 9). Stockholm *1964.*

Steckzén, B. & Wennerström, H., *Luleå stads historia 1621—1921.* Luleå *1921.*

Stenberger, M., *Det forntida Sverige.* Göteborg, Stockholm & Uppsala *1964.*

Styffe, C. G., *Skandinavien under unionstiden. Med särskildt afseende på Sverige och dess förvaltning åren 1319 till 1521. Ett bidrag till den historiska geografien* (1867). 3. omarb. och utv. uppl., Stockholm *1911.*

Stålfelt, M. G., *Växtekologi. Balansen mellan växtvärldens produktion och beskattning,* (1960). 2. uppl., Stockholm *1969.*

Sundqvist, B., Acceleratorer vaskar fram kol 14: Vänta inte på sönderfall!. *Forskning och Framsteg 1980: 7.*

Sundström, H., Bebyggelseutvecklingen i Övre Norrland under senmedeltiden. Kritiska synpunkter på källor och metoder. *Scandia 1974.*

— *Den senmedeltida befolkningsutvecklingen i Övre Norrland* (stencilerad 3-betygsuppsats, Historiska institutionen vid Lunds universitet, 1969).

— *Den senmedeltida bebyggelseutvecklingen i Övre Norrland* (stencil, Det nordiska ödegårdsprojektets symposium i Evedal, Växjö 14—16 sept. 1970. DNÖ:s arkiv, manuskriptavd., Kongl. Bibl., Köpenhamn).

Sundström, H. & Julku, K., se Julku (1983).

Sundström, H., Koivunen, P. & Vahtola, J., *Den äldsta bosättningen i Tornedalen. Ett exempel på interdisciplinär forskning. Rapport från Forskningsgruppen kring Tornedalens äldre bosättningshistoria* (stencil, Historiska institutionen vid Lunds universitet, 1978).

Svensson (senare Stormyr), H., Kolonisationen av Piteå-bygden. *Norrbotten 1961.*

Söderwall, K. F., *Ordbok öfver svenska medeltids-språket.* Lund 1884—1918. *Supplement* av K. F. Söderwall (†), W. Åkerlund, K. G. Ljunggren & E. Wessén. Lund *1925— 1973.*

Tegnér, G., Svensk dendrokronologi 1976. *Fornvännen 1977.*

Teknologi och samhällsförändring. Föredrag från Nordiska fackkonferensen för historisk metodlära i Lövångers kyrkby 20—23 maj 1979, (Studier i historisk metode, 15). Bergen, Oslo, & Tromsø *1980.*

Tenerz, H., Namnen i Tornedalen under 1500-, 1600- och 1700-talen. *Norrbotten 1960.*

— *Ur Norrbottens finnbygds och dess befolknings tidigare historia.* Göteborg, Stockholm & Uppsala *1962.*

Thulin, G., *Om mantalet, 1.* Lund *1890.*

Tobolski, K. & Reynaud, C., se Reynaud (1974).

Tolonen, K., On the palaeo-ecology of the Hamptjärn Basin. I. Pollenstratigraphy. *Early Norrland 1.* Stockholm *1972.*

— Paleoekologiska vittnesbörd om forntida liv och villkor i norra Fennoskandien. *Nord-Skandinaviens historia i tvärvetenskaplig belysning* [se ovan] (1980).

Tolonen, K., Saloheimo, V. & Huttunen, P., Paleoekologi och odlingshistorisk forskning. *FHT 1977.*

Tolonen, M. & Huttunen, P., se Huttunen (1972).

Tralaw, H., Ålders- och proveniensbestämning av flinta. *Svensk Naturvetenskap 1973.*

Turunen, J., *Tornionjokilaakson ja Kemijokilaakson asutus 1500-luvun maakirjojen valossa* (stencil, Historiska institutionen vid Uleåborgs universitet, 1975).

Tveite, S. m.fl., se Österberg, *NHT 1976.*

Uppsalasymposiet 1973: Ekologi, kulturlandskapsutveckling och bebyggelsehistoria, (stencil, Medd. från Kvartärgeologiska avd. vid Uppsala universitet, 1974).

Wahlberg, E. & Jirlow, R., se Jirlow (1961).

Vahtola, J., De finska ortnamnen i Nord-Skandinavien och deras nyttjande som historisk källa. *Nord-Skandinaviens historia i tvärvetenskaplig belysning* [se ovan] (1980).

— *Tornionjoki- ja Kemijokilaakson asutuksen synty. Nimistötieteellinen ja historiallinen tutkimus* (Studia Historica Septentrionalia, 3). Rovaniemi *1980.*

— *Paikannimistö Tornionlaakson asutushistorian lähteenä* (stencilerad pro gradu-avh., Historiska institutionen vid Uleåborgs universitet, 1975).

— *Tornedalens tidiga bebyggelseskeende belyst av namnforskningen* (stencil, Historiska institutionen vid Uleåborgs universitet, 1978).

Vahtola, J. m.fl., se Sundström (1978).

Wainwright, F. T., *Archaeology and Place-names and History. An Essay on Problems of Co-ordination.* Routledge & Kegan Paul, London *1962.*

Wallerström, Th., De arkeologiska undersökningarna i Hietaniemi — presentation och preliminära resultat. *Faravid, 4. 1980.*

— Några reflexioner kring kolonisationen av Tornedalen. *Bottnisk kontakt, 1. Föredrag vid maritimhistorisk konferens i Örnsköldsvik 12—14 februari 1982* (red. C. Westerdahl; Skrifter från Örnsköldsviks museum, 1.). Örnsköldsvik *1982.*

— Medeltidsarkeologi i Norrbotten — En översikt och några reflexioner. *Meta 1982.*

— Kulturkontakter i Norrbottens kustland under medeltiden. *Norrbotten 1982—1983.*

— *Hietaniemi* (opubl. grävningsrapport, Norrbottens museum, 1978).

Vasari, Y., The state of palaeoethnobotanical research in northern Finland. — *Folia Quaternaria 47. 1976.*

Webb, J. A. & Moore, P. D., se Moore (1978).

Wennerström, H. & Steckzén, B., se Steckzén (1921).

Welinder, S., Kring västsvensk mesolitisk kronologi. *Fornvännen 1974.*

— Om radiometrisk datering av träkol från mesolitiska boplatser. — *Fornvännen 1977.*

Westerlund, E., *Skelleftebygdens historia, 1. Kolonisation, uppodling och utveckling. Seder och bruk, skrock, sägner och folktro.* Skellefteå *1973*.

Westin, J. G., Bygden växer. *Skellefte sockens historia, 1: 1* (red. K. Fahlgren). Uppsala *1953*.

Widmark, G., Bottniska vattendragsnamn. *Västerbotten 1967*.

Wiklund, K. B., Namnet Luleå och de forna nationalitetsförhållandena i Norrbotten. *Ymer 1904*.

Vilkuna, K., Varpå beror den finske svedjebondens kolonisationsförmåga? *Värmland förr och nu 1953*.

— *Kainuu — Kvänland, ett finskt-norskt-svenskt problem* (Acta Academiae regiae Gustavi Adolphi, 46). Uppsala *1969*.

Villages désertés et histoire économique XIe — XVIIIe siécle (Les Hommes et la Terre, 11.). S.E.V.P.E.N., Paris *1965*.

Wolf, E. R., Bönder. En socialantropologisk översikt över bondesamhällets utveckling (1966). Sv. övers., Stockholm *1971*.

Vorren, K.-D., Et pollenanalytisk bidrag til spørsmålet om det eldste jordbruk i Nord-Norge. *Viking. Tidsskrift for norrøn arkeologi, 39. 1976*.

Vorren, Ø., Samisk bosetning på Nordkalotten, arealdisponering og ressursutnytting i historisk-økologisk belysning. *Nord-Skandinaviens historia i tvärvetenskaplig belysning* [se ovan] (1980).

Wulff, E. & Jansson, A.-M., se Jansson (1980).

Vuorela, I., Pollen analysis as a means of tracing settlement history in SW-Finland. — *Acta Botanica Fennica 104. 1975*.

— *Bebyggelseutvecklingen i södra Finland belyst av pollenanalyser.* Föredrag vid DNÖ:s symposium i Kungälv 27—29 augusti *1973* (stencil, DNÖ:s arkiv, manuskriptavd., Kongl. Bibl., Köpenhamn).

Zachrisson, I., Lapps and Scandinavians. Archaeological Finds from Northern Sweden. *Early Norrland, 10.* Stockholm *1976*.

Zackrisson, O., Vegetation dynamics and land use in the lower reaches of the river Umeälven. — *Early Norrland 9.* Stockholm *1976*.

— Influence of forest fires on the North Swedish boreal forest. — *Oikos 29. 1977*.

— Att läsa historia i skogen. *Skogsägaren 1977: 5.*

— Skogsvegetationen vid stranden av Storvindeln under 200 år. *Svensk Botanisk Tidskrift 1978: 3.*

— Dendrokronologiska metoder att spåra tidigare kulturinflytande i den norrländska barrskogen. *Fornvännen 1979.*

— Naturresursutnyttjande i relation till skogsekosystemens tidigare dynamik och struktur i Lule älvdal. *Skrifter från Luleälvsprojektet nr 1: Luleälvssymposiet 1—3 juni 1981.* Umeå *1981.*

Åkerman, S., Människor och miljöer. Synpunkter på ekotypen som forskningsinstrument. *Scandia 1978.*

Åström, S.-E., *Natur och byte. Ekologiska synpunkter på Finlands ekonomiska historia.* Helsingfors *1978.*

Österberg, E., Bondesamhälle i fokus. Ödeläggelse, återuppodling, kolonisation under senmedeltid och 1500-tal. *Ale 1972.*

— Nordiska ödegårdsprojektet. *Humanistisk forskning 1974.*

— *Kolonisation och kriser. Bebyggelse, skattetryck, odling och agrarstruktur i västra Värmland ca 1300—1600* (BHL, 43. & DNÖ:s publ.-serie, 3). Lund *1977*.

— Förändring och anpassning i det förindustriella bondesamhället. Ett svenskt 1500-tals-exempel. *Teori- och metodproblem i modern svensk historieforskning* (red. K. Åmark). Stockholm *1981*.

— Ödegårdar i medeltidens Norden — rapport från ett forskningsprojekt. *Bebyggelse-historisk tidskrift 1981*.

— Social aspects. *Desertion and Land Colonization in the Nordic Countries c. 1300—1600* [se ovan] (1981).

— Methods, hypotheses and study areas. *Desertion and Land Colonization in the Nordic Countries c. 1300—1600* [se ovan] (1981).

Österberg, E., Tveite, S. & Lunden, K., Kvantitative og teoretiske studiar i eldre norsk bondesoge. *NHT 1976*.

Ortregister

Registret innehåller även namn på sjöar, öar, älvar och vissa geografiskt eller administrativt avgränsade områden. Hänvisningar ges såväl till denna bok som till *Ogräs i odlingshistoriens tjänst*, till den senare med kursiverade siffror. Där såväl svenska som finska namnformer förekommer, anges den finska formen först, därpå den svenska efter snedstreck (/).

Sakregister

Kursiverade siffror avser *Ogräs i odlingshistoriens tjänst.*

Använda förkortningar

aa = anfört arbete
anf litt = anförd litteratur
ang = angående
AP = arboreal(träd) pollen
art = artikel(n)
ATA = Antikvarisk-topografiska arkivet, Stockholm
bd = band
bearb = bearbetade
BHL = Bibliotheca historica Lundensis
bih = bihang
c./c:a = cirka
C^{14} = carbium/kol 14
CIP = culture indicative pollen
cit = citeras/citerad(e)
DAL = Dialekt- och ortnamnsarkivet, Lund
dens = densamma/-e
DNÖ(P) = Det nordiska ödegårdsprojektet
DS = Diplomatarium Svecanum
ed = editor/utgivare/redaktör
enl = enligt
Ethn Scand = Ethnologia Scandinavia
f/ff = följande sida/sidor
fasc = fascikel
FHT = Historisk tidskrift för Finland
FMU = Finlands medeltidsurkunder
FOG = Forskningsorganisatoriska gruppen
h = häfte
HLA = Landsarkivet i Härnösand
HSH = Handlingar rörande Skandinaviens historia
HT = (Svensk) Historisk tidskrift
inv nr = inventarienummer
jb = jordebok
jfr = jämför
KA = Kammararkivet (i Svenska riksarkivet), Stockholm
KB = Kungliga biblioteket, Stockholm
Kbhvn = København
KL/KLNM = Kulturhistoriskt lexikon för nordisk medeltid

KVHAA = Kungliga Vitterhets Historie och Antikvitets Akademien
KVAAH = Kungliga Vitterhets Historie och Antikvitets Akademiens Handlingar
KVHAAÅ = Kungliga Vitterhets Historie och Antikvitets Akademiens Årsbok
LSA = Lantmäteristyrelsens arkiv, Stockholm (numera Lantmäteriverkets arkiv, Gävle)
medd = meddelanden
m fl = med flera
MRA = Meddelanden från Riksarkivet
ms = manuskript
NAP = non-arboreal pollen
Nbm = Norrbottens museum
NoB = Namn och bygd
NHT = (Norsk) Historisk tidskrift
NTB = Norrlands tidiga bebyggelse (Early Norrland)
omarb = omarbetad(e)
OSUÅ = Ortnamnssällskapets i Uppsala årsskrift
Rap = Svenska riksarkivets pergamentsbrev
REA = Registrum ecclesiae Aboensis
red = redaktör
ref = refererad
rev = reviderade
Sc = Scandia
SGU = Sveriges geologiska undersökning
SGÅ = Svensk geografisk årsbok
sn = socken
SRA = Riksarkivet, Stockholm
Sthlm = Stockholm
suppl = supplement
SvD = Svenska dagbladet
tr = tryckt
uo = undersökningsområdet
uppl = upplaga
utg = utgåva/utgiven/utgivare
utv = utvidgade
UUB = Uppsala universitetsbibliotek
uå = utan år
vol = volym

180